cent
chansons d'amour

ISBN : 2-258-05370-6
Code éditeur : 331
Dépôt légal : avril 2003
Imprimé en Espagne

cent chansons d'amour

Textes réunis et présentés par
Martin Pénet

Photographies de
Michel Maïofiss

omnibus

Depuis que les hommes chantent, c'est d'abord l'amour qu'ils se plaisent à mettre en musique. Si la forme comme le rythme subissent des modifications au fil des générations, les thèmes et les sentiments évoqués sont immuables. Autant dire que choisir cent chansons d'amour parmi celles qui ont marqué la mémoire des Français au fil des siècles relève de la gageure, pour ne pas dire de l'impossible.

Il faut donc admettre que dans ce domaine toute règle de sélection est vaine, car la chanson est un concentré de vie et d'émotion. Elle joue par elle-même un rôle de séduction. Un refrain nous touche parce qu'il correspond à un moment précis de notre parcours et s'est imprimé de façon indélébile dans nos mémoires, associé à tel événement heureux ou tragique : c'est comme un échantillon, une bulle d'air d'une époque donnée qui reste emprisonnée.

Le matraquage médiatique croissant au fil des décennies a renforcé la diffusion des chansons, du moins celles dont les producteurs ont décidé de faire des succès et qui statistiquement marquent davantage de personnes que les chansons moins diffusées. N'empêche qu'en ce domaine l'émotion est reine : c'est elle qui en définitive décide de la pérennité d'un refrain dans nos mémoires.

La chanson d'amour est le répertoire privilégié des chanteurs de charme. La recette du succès réside souvent dans l'accord de la musique et des paroles, dans des chansons qui se retiennent sans effort, où « amour » rime avec « toujours », « caresse » avec « ivresse », « bonheur » avec « cœur ». Mais il existe toute une échelle dans le discours amoureux, de la joie éperdue à la peine profonde, de la sensualité exacerbée à l'humour distancié.

La chanson joue là un rôle essentiel : combler le besoin du langage d'amour. D'une époque à l'autre, on peut suivre l'évolution du vocabulaire et du discours amoureux : certains mots comme « amants » et « maîtresse » sont devenus désuets; le passage du « vous » au « tu » est souvent un rite; les chansons utilisent parfois des métaphores avec les parties fétiches du corps (les mains, les yeux) ; d'autres plus transgressives abordent des aspects charnels. À l'opposé, il existe des textes intimistes qui exaltent le couple, où l'amour durable s'oppose à l'amour d'une nuit : ce sont des hymnes à la fidélité. Quand la chanson parle de séparation, elle est presque toujours malheureuse, car c'est d'abord la souffrance et la dépendance amoureuse qui font parler. Beaucoup de textes enfin évoquent l'amour perdu et l'inexorable fuite du temps : l'amour est ce qui reste à la fin d'une vie.

Puisque chaque chanson d'amour raconte une histoire, le pari n'est plus de choisir les cent plus belles, mais de raconter différentes histoires d'amour avec des chansons. Empruntées à toutes les époques, les œuvres choisies permettent de dessiner une carte du tendre avec quelques étapes majeures : l'attente et la rencontre, les mots d'amour, le bonheur, l'ivresse, la jalousie et les amours contrariées, toutes les fins, l'absence, le souvenir.

Cet ouvrage peut donc être parcouru de différentes manières : en s'arrêtant sur un chapitre qui correspond à l'humeur du moment ; ou mieux, en butinant d'un chapitre à l'autre les chansons qui racontent le mieux l'histoire d'amour que l'on a vécue, que l'on vit, ou que l'on voudrait vivre : chacun crée ou recrée son histoire. Dès lors, la sélection dépend de chaque lecteur et même de chaque lecture. Elle permet de redécouvrir le sens profond qui se cache parfois dans le texte d'un refrain familier, de se le réapproprier à la lumière de sa propre expérience. Et l'on peut constater que le sexe de l'auditeur ou son orientation sexuelle importent peu dans l'appréciation ou l'identification aux paroles. Les chansons à succès ont d'ailleurs toujours été reprises par des interprètes des deux sexes (avec parfois des versions masculine et féminine). Transmises de génération en génération, certaines chansons comme Parlez-moi d'amour *ou* Plaisir d'amour *sont devenues intemporelles et ont le rare privilège de toucher tous les cœurs.*

Aussi large que possible dans les styles et les auteurs, cette sélection est également le résultat d'un compromis, réalisé en fonction des autorisations que nous avons pu obtenir de la part des éditeurs des chansons concernées. Que ceux qui nous ont soutenus dans cette entreprise soient ici remerciés.

L'attente et la rencontre

Sur une idée déclinée du traditionnel antillais *Maladie d'amour* et une musique inspirée du célèbre *Canon* de Pachelbel, Michel Sardou a cosigné ce grand succès de l'année 1973 en révélant une veine sentimentale populaire qui tranchait avec son répertoire engagé ou pamphlétaire habituel.

La Maladie d'amour

Paroles de Michel Sardou et Yves Dessca
Musique de Jacques Revaux

Elle court elle court
La maladie d'amour
Dans le cœur des enfants
De sept à soixante-dix-sept ans
Elle chante, elle chante
La rivière insolente
Qui unit dans son lit
Les cheveux blonds les cheveux gris

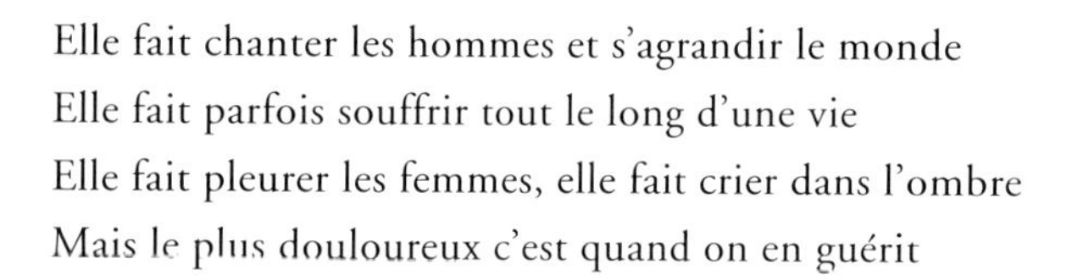

Elle fait chanter les hommes et s'agrandir le monde
Elle fait parfois souffrir tout le long d'une vie
Elle fait pleurer les femmes, elle fait crier dans l'ombre
Mais le plus douloureux c'est quand on en guérit

Elle court elle court
La maladie d'amour
Dans le cœur des enfants
De sept à soixante-dix-sept ans
Elle chante, elle chante
La rivière insolente
Qui unit dans son lit
Les cheveux blonds les cheveux gris

Elle surprend l'écolière sur le banc d'une classe
Par le charme innocent d'un professeur d'anglais
Elle foudroie dans la rue cet inconnu qui passe
Et qui n'oubliera plus ce parfum qui volait

Elle court elle court
La maladie d'amour
Dans le cœur des enfants
De sept à soixante-dix-sept ans
Elle chante, elle chante
La rivière insolente
Qui unit dans son lit
Les cheveux blonds les cheveux gris

Elle court elle court
La maladie d'amour
Dans le cœur des enfants
De sept à soixante-dix-sept ans

Après une relation passionnée de dix ans avec Mistinguett, Maurice Chevalier volait de ses propres ailes, incarnant la jeunesse sportive de l'époque, éprise de jazz et de danse. Cette chanson est tirée de la revue *Dans un fauteuil*, donnée au Casino de Paris en 1921, dans laquelle Chevalier inaugura le port de son célèbre canotier.

Je n'peux pas vivre sans amour

Paroles de Fred Pearly
Musique de Gaston Gabaroche et Fred Pearly

Quand j'étais petit j'avais chez moi tout c'qu'il fallait
Ma mèr' me gâtait, me câlinait, me dorlotait
J'avais pas besoin d'm'en faire
Car j'étais propriétaire
J'avais un château, j'avais un' auto
Je n'prenais jamais l'métro
Enfin j'avais tout pour êtr' heureux
Et cependant j'étais malheureux

Je n'peux pas vivre sans amour
J'en rêve la nuit et le jour
Loin des ivresses,
Loin des caresses
Je m'sens si seul si seul si seul si seul
J'ai beau chercher des distractions
L'amour me trouble la raison
Et j'en voudrais toujours toujours toujours
Car je n'peux pas madam' je n'peux pas madam'
Je n'peux pas ! non je n'peux pas vivre sans amour

Les femm's su' l'boul'vard à Paris ont des occasions
Moi j'envie leur sort, j'voudrais connaîtr' leurs sensations
Et les joies que leur procurent
Leurs diverses aventures
Ell's ont du bonheur ell's ont du chang'ment
De l'amour et de l'argent
Si j'étais du sexe féminin
Moi aussi je ferais des béguins

Je n'peux pas vivre sans amour
J'en rêve la nuit et le jour
J'veux un' maîtresse
Près d'moi sans cesse
Je m'sens si seul si seul si seul si seul
Je veux connaîtr' le grand frisson
Les transports et les effusions
Je veux aimer toujours toujours toujours
Car je n'peux pas madam' je n'peux pas madam'
Je n'peux pas non je n'peux pas vivre sans amour

Cell' qui m'aimera aura mon cœur et caetera
Cell' qui m'comprendra aura mêm' encor' plus que ça
Pour ell' je f'rai des folies
Et toutes ses fantaisies
Ah ! je la mordrai oh je la battrai
Je n'sais pas tout c'que j'lui f'rai
J'veux êtr' pour ell' bien plus qu'un amant
Je veux êtr' le pèr' de mes enfants !

Je n'peux pas vivre sans amour
J'en rêve la nuit et le jour
J'veux un' amie
Pour tout' la vie
Je m'sens si seul si seul si seul si seul
Je veux tomber en pâmoison
J'veux êtr' victim' de ma passion !
J'veux en mourir en mourir pour toujours
Car je n'peux pas madam' je n'peux pas madam'
Je n'peux pas non je n'peux pas vivre sans amour

Créée par le chanteur de charme Vorelli en 1911 et chantée peu après par Polaire, cette mélodie-berceuse très poétique a été reprise vingt ans plus tard par Lucienne Boyer, dont la voix célèbre a immortalisé *Parlez-moi d'amour*.

Le Plus Joli Rêve

Paroles de Pierre Chapelle (Will)
Musique de Pierre Arezzo

Quand nous étions petits
Nous avons fait des songes,
Adorables mensonges
Depuis longtemps partis.
Dans la blancheur du lit
Où descendaient les anges
Des musiques étranges
Nous endormaient la nuit.

Mais le plus joli rêve
C'est le rêve d'amour
Que l'on fait sur la grève
À l'heure où meurt le jour.
Une voix enivrante
Monte du flot berceur
Et s'unit, caressante,
À la chanson du cœur.

Nous avons lu, plus tard,
Qu'on a fait dans l'Histoire
De beaux rêves de gloire
Aux plis d'un étendard!
Et vous, belle, tout bas,
Rêvez cette folie
D'être toujours jolie,
En ne vieillissant pas!

Mais le plus joli rêve
C'est le rêve d'amour
Que l'on fait sur la grève
À l'heure où meurt le jour.
Une voix enivrante
Monte du flot berceur
Et s'unit, caressante,
À la chanson du cœur.

Il est d'autres enfin
Qui, chercheurs de fortune,
Pour décrocher la lune
Font des efforts en vain;
De chimères grisé
Leur Idéal caresse
Un rêve de richesse
Jamais réalisé!...

Mais le plus joli rêve
C'est le rêve d'amour
Que l'on fait sur la grève
À l'heure où meurt le jour.
Une voix enivrante
Monte du flot berceur
Et s'unit, caressante,
À la chanson du cœur.

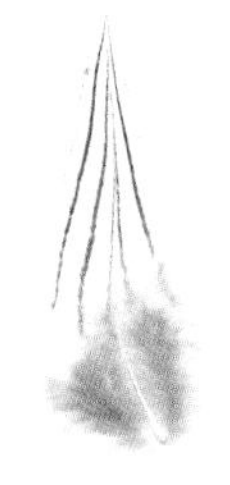

L'Étoile d'amour

Paroles de Charles Fallot
Musique de Paul Delmet

Cette mélodie créée en 1899 par Anna Thibaud appartient au répertoire du compositeur Paul Delmet, habitué du cabaret montmartrois *Le Chat noir*. Mercadier, spécialiste de la romance, fut le premier à l'enregistrer en 1902, ouvrant la voie à une multitude d'interprètes au cours du XXe siècle, principalement des chanteurs de charme.

Un poète, ayant fait un voyage de rêve,
M'a dit qu'il existait, dans le ciel radieux,
Une étoile où jamais ne sonne l'heure brève,
L'heure brève où les cœurs se brisent en adieux.

Une étoile d'amour,
Une étoile d'ivresses ;
Les amants, les maîtresses,
Aiment, la nuit, le jour.
Un poète m'a dit qu'il était une étoile
Où l'on aime toujours.

On y entend, le soir, échanger, sous les arbres,
De fous baisers, troublant le calme de la nuit ;
Auprès de l'eau, glissant sur la fraîcheur des marbres,
Les femmes font goûter leurs lèvres comme un fruit,

Et l'on parle d'amour,
On parle de caresses ;
Les amants, les maîtresses,
Aiment, la nuit, le jour.
Un poète m'a dit qu'il était une étoile
Où l'on aime toujours.

Là, jamais de soucis, jamais de cœurs moroses ;
Les femmes, pour charmer, ont pris l'âme des fleurs.
Elles n'ont qu'un chagrin, c'est voir mourir les roses ;
Jamais leur clair regard ne se voile de pleurs.

On chante les amours,
Les plaisirs, les tendresses ;
Les amants, les maîtresses,
Aiment, la nuit, le jour.
Un poète m'a dit qu'il était une étoile
Où l'on aime toujours.

Dis-moi, petite aimée, envolons-nous vers Elle
Et nous nous aimerons pendant l'éternité.
La chimère aux doux yeux nous prêtera son aile.
Vois, là-haut dans le ciel, vois sa pâle clarté.

C'est l'étoile d'amour,
C'est l'étoile d'ivresses ;
Les amants, les maîtresses,
Aiment, la nuit, le jour.
Un poète m'a dit qu'il était une étoile
Où l'on aime toujours.

ossignolet sauvage

Anonyme, XVIIe siècle

Le thème du rossignol messager d'amour, que l'on rencontre déjà chez les troubadours au XIIe siècle, est fréquent dans le répertoire traditionnel. Il existe un grand nombre de chansons dont le tronc commun utilise également l'autre fonction symbolique du rossignol : le pouvoir de suggestion érotique.

Rossignolet du bois,
Rossignolet sauvage,
Apprends-moi ton langage
Apprends-moi-z-à parler
Apprends-moi la manière
Comment il faut aimer.

Comment il faut aimer
Je m'en vais vous le dire,
Faut chanter des aubades
Deux heures après minuit
Faut lui chanter : « La belle,
C'est pour vous réjouir. »

On m'avait dit, la belle,
Que vous avez des pommes,
Des pommes de reinettes
Qui sont dans vot' jardin.
Permettez-moi, la belle,
Que j'y mette la main.

Non, je ne permettrai pas
Que vous touchiez mes pommes,
Prenez d'abord la lune
Et le soleil en main,
Puis vous aurez les pommes
Qui sont dans mon jardin.

Originaire de Normandie, ce chef-d'œuvre de la chanson courtoise a été conservé par le manuscrit de Bayeux, constitué vers 1514 et publié pour la première fois en 1858. Longtemps restée dans le domaine savant, cette mélodie réservée aux voix exercées a donné lieu à de nombreux enregistrements, parmi lesquels ceux de Mouloudji, Jacques Douai, Béatrice Arnac, Jean-Claude Pascal ou Nana Mouskouri.

L'Amour de moy

Anonyme, XVe siècle

L'amour de moy s'y est enclose
En un joli jardinet,
Où croît la rose et le muguet,
Et aussi fait la passerose.

Mon jardinet est si plaisant
Et garni de toute flour,
Et si est gardé d'un amant
Autant la nuit comme le jour.

Hélas ! il n'est si douce chose
Que de ce doux roussignolet,
Qui chante clair au matinet :
Quand il est las, il se repose.

Je la vis l'autre jour cueillant
En un vert pré la violette,
Et me sembla si avenant
Et de beauté la très parfaite.

Je la regardai une pose :
Elle était blanche comme lait,
Et douce comme un agnelet,
Vermeillette comme une rose.

La belle est au jardin d'amour

Anonyme, XVIIIe siècle

Cette chanson anonyme d'origine bretonne est sans doute due à la plume d'un auteur lettré. Réunissant les principaux symboles anciens de la mythologie érotico-amoureuse, elle a été remise à l'honneur par Jacques Douai en 1958 et enregistrée depuis par de multiples interprètes (Guy Béart, Serge Kerval, Nana Mouskouri...). Évoquée ici de façon particulièrement poétique, la thématique du jardin d'amour paradisiaque (que l'on retrouve dans *L'Amour de moy*) était déjà présente dans des chansons de l'Antiquité.

La belle est au jardin d'amour,
Voilà un mois ou six semaines.
Son père la cherche partout,
Et son amant qu'est bien en peine

Faut demander à ce berger
S'il l'a pas vue dedans la plaine :
« Berger, berger, n'as-tu point vu
Passer ici la beauté même ?

– Comment donc est-elle vêtue,
Est-ce de soie ou bien de laine ?
– Elle est vêtue de satin blanc
Dont la doublure est de futaine.

– Elle est là-bas dans ce vallon,
Assise au bord d'une fontaine ;
Entre ses mains tient un oiseau,
La belle lui conte ses peines.

– Petit oiseau, tu es heureux,
D'être entre les mains de la belle !
Et moi, qui suis son amoureux,
Je ne puis pas m'approcher d'elle.

Faut-il être auprès du ruisseau,
Sans pouvoir boire à la fontaine ?
– Buvez, mon cher amant, buvez,
Car cette eau-là est souveraine.

– Faut-il être auprès du rosier
Sans pouvoir cueillir la rose ?
– Cueillissez-la, si vous voulez,
Car c'est pour vous qu'elle est éclose. »

a belle, si ton âme

Paroles de Gilles Durant de la Bergerie

Le texte de cette chanson a été écrit au XVIe siècle par Gilles Durant, sieur de la Bergerie, avocat au parlement de Paris. Mais on ne connaît pas le compositeur de cet air de cour, repris par Yvonne Printemps dans le film *Adrienne Lecouvreur* en 1938.

Ma belle, si ton âme
Se sent or allumer
De cette douce flamme
Qui nous force d'aimer;
Allons, contents,
Allons sur la verdure,
Allons, tandis que dure
Notre jeune printemps.

Avant que la journée
De notre âge qui fuit
Se trouve environnée
Des ombres de la nuit,
Prenons loisir
De vivre notre vie,
Et sans craindre l'envie,
Donnons-nous du plaisir.

Du soleil la lumière
Vers le soir se déteint,
Puis à l'aube première
Elle reprend son teint;
Mais notre jour,
Quand une fois il tombe
Demeure sous la tombe,
Sans espoir de retour.

Un beau matin à la fraîche

Anonyme, XVIIIe siècle

Originaire d'Île-de-France, cette chanson traditionnelle a été enregistrée par Jacques Douai dès 1954, puis par Marc Ogeret, Serge Kerval et Nana Mouskouri.

Un beau matin à la fraîche
Aïe la la comme elle était fraîche
Peu pressé de travailler
Et aïe la la qu'il faisait frisquet

Il est parti sur la route
Aïe la la comme elle était fraîche
Avec son fusil chasser
Et aïe la la qu'il faisait frisquet

Il ne vit ni perdrix ni grive
Aïe la la comme elle était fraîche
Ni faisan à ramener
Et aïe la la qu'il faisait frisquet

Mais il vit une bergère
Aïe la la comme elle était fraîche
Avec ses moutons au pré
Et aïe la la qu'il faisait frisquet

Elle dormait la bergère
Aïe la la comme elle était fraîche
Au pied d'un bel olivier
Et aïe la la qu'il faisait frisquet

Belle affaire mais que faire
Aïe la la comme elle était fraîche
Il n'osait pas l'éveiller
Et aïe la la qu'il faisait frisquet

Il cueillit des violettes
Aïe la la comme elle était fraîche
Et dans ses mains les plaçait
Et aïe la la qu'il faisait frisquet

Mais les fleurs étaient si fraîches
Aïe la la comme elle était fraîche
Que son cœur s'est réveillé
Et aïe la la qu'il faisait frisquet

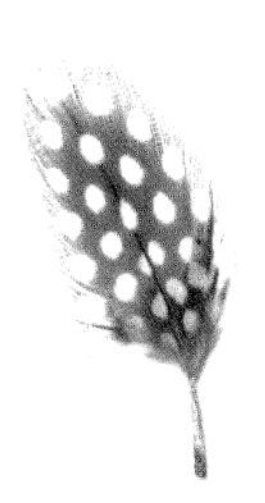

Y avait dix filles dans un pré

Anonyme, XVIe siècle

Y avait dix filles dans un pré,
Toutes les dix à marier :
Y avait Dine,
Y avait Chine,
Y avait Claudine et Martine,
Ah ! ah !
Catherinette et Catherina ;
Y avait la belle Suzon,
La duchesse de Montbazon ;
Y avait Madeleine ;
Puis y avait la Du Maine.

Le fils du roi vint à passer,
Toutes les dix a saluées :
Salut à Dine,
Salut à Chine,
Salut à Claudine et Martine,
Ah ! ah !
Catherinette et Catherina ;
Salut à la belle Suzon,
La duchesse de Montbazon ;
Salut à Madeleine ;
Baiser à la Du Maine.

À toutes il fit un cadeau,
À toutes il fit un cadeau :
Bague à Dine,
Bague à Chine,
Bague à Claudine et Martine,
Ah ! ah !
Catherinette et Catherina ;
Bague à la belle Suzon,
La duchesse de Montbazon ;
Bague à Madeleine ;
Diamant à la Du Maine.

Puis il leur offrit à souper,
Puis il leur offrit à souper :
Pomme à Dine,
Pomme à Chine,
Pomme à Claudine et Martine,
Ah ! ah !
Catherinette et Catherina ;
Pomme à la belle Suzon,
La duchesse de Montbazon ;
Pomme à Madeleine ;
Gâteau à la Du Maine.

Recueillie par Gérard de Nerval, cette chanson reprise par Jacques Douai est l'illustration d'un thème dont la présence est attestée depuis le XVIe. Sous des dehors innocents, il s'agit à l'origine d'une ballade à la gloire des dames du temps jadis et plus précisément une satire des intrigues politico-galantes à la cour au temps de Richelieu.

Puis il leur offrit à coucher,
Puis il leur offrit à coucher :
Paille à Dine,
Paille à Chine,
Paille à Claudine et Martine,
Ah ! ah !
Catherinette et Catherina ;
Paille à la belle Suzon,
La duchesse de Montbazon ;
Paille à Madeleine ;
Beau lit à la Du Maine.

Puis toutes il les renvoya,
Puis toutes il les renvoya,
Renvoya Dine,
Renvoya Chine,
Renvoya Claudine et Martine,
Ah ! ah !
Catherinette et Catherina ;
Renvoya la belle Suzon,
La duchesse de Montbazon ;
Renvoya Madeleine ;
Et garda la Du Maine.

L'Occasion manquée

Anonyme, XIXe siècle

Après ma journée faite
Je m'en fus promener
En mon chemin rencontre
Une fille à mon gré.

Youp ça comme ça la rirette,
Youp ça comme ça.

J'la pris par sa main blanche
Dans les bois l'ai menée
Quand ell' fut dans les bois
Ell' se mit à pleurer.

Youp ça comme ça la rirette,
Youp ça comme ça.

– Ah ! qu'avez-vous la belle ?
Qu'avez-vous à pleurer ?
– Je pleur' mon innocence
Que vous m'l'allez ôter !

Youp ça comme ça la rirette,
Youp ça comme ça.

– N'pleurez pas tant la belle
Je vous la laisserai
J'la pris par sa main blanche
Dans les champs j'l'ai menée.

Youp ça comme ça la rirette,
Youp ça comme ça.

Quand ell' fut dans les champs
Ell' se mit à chanter :
– Ah ! qu'avez-vous la belle,
Qu'avez-vous à chanter ?

Youp ça comme ça la rirette,
Youp ça comme ça.

– Je chant' votre bêtise
De me laisser aller :
Quand on tenait la poule
Il fallait la plumer.

Youp ça comme ça la rirette,
Youp ça comme ça.

Quand on tenait la poule
Il fallait la plumer,
Quand on tenait la fille
Il fallait l'embrasser.

Youp ça comme ça la rirette,
Youp ça comme ça.

Cette ronde champenoise est typique de l'esprit gaulois, si présent dans l'imagination populaire, que l'on retrouve déjà dans des pastourelles du XIIIe siècle. Elle est citée par Gérard de Nerval, qui fut l'un des premiers écrivains romantiques à s'intéresser à la chanson traditionnelle.

Pour un flirt

Paroles de Michel Delpech
Musique de Roland Vincent

Pour un flirt avec toi
Je ferais n'importe quoi
Pour un flirt avec toi
Je serais prêt à tout
Pour un simple rendez-vous
Pour un flirt avec toi

Pour un petit tour, un petit jour
Entre tes bras
Pour un petit tour, au petit jour
Entre tes draps

Je pourrais tout quitter
Quitte à faire démodé
Pour un flirt avec toi
Je pourrais me damner
Pour un seul baiser volé
Pour un flirt avec toi

Pour un petit tour, un petit jour
Entre tes bras
Pour un petit tour, au petit jour
Entre tes draps

Je ferais l'amoureux
Pour te câliner un peu
Pour un flirt avec toi
Je ferais des folies
Pour arriver dans ton lit
Pour un flirt avec toi

Pour un petit tour, un petit jour
Entre tes bras
Pour un petit tour, au petit jour
Entre tes draps

Michel Delpech,
considéré à l'époque
comme le gendre idéal,
fut le premier étonné du
succès de cette chanson
de 1971, initialement
placée en face B du disque
Le Blé en herbe,
d'écriture beaucoup plus
élaborée ; ce qui prouve
que malgré la libération
sexuelle, les jeunes
peuvent rester très fleur
bleue. Le motif des
trompettes, qui se retient
très facilement, y est aussi
pour quelque chose.

J'ai ta main

Paroles et musique de Charles Trenet

Nous sommes allongés
Sur l'herbe de l'été,
Il est tard on entend chanter
Des amoureux et des oiseaux.
On entend chuchoter le vent de la campagne
On entend chanter la montagne.

J'ai ta main dans ma main,
Je joue avec tes doigts
J'ai mes yeux dans tes yeux
Et partout l'on ne voit
Que la nuit, belle nuit
Que le ciel merveilleux
Qui fleurit, tour à tour, tendre et mystérieux
Viens plus près mon amour, ton cœur contre mon cœur
Et dis-moi qu'il n'est pas de plus charmant bonheur
Que ces yeux dans le ciel,
Que ce ciel dans tes yeux,
Que ta main qui joue avec ma main.

Je ne te connais pas
Tu ne sais rien de moi,
Nous ne sommes que deux vagabonds
Fille des bois, mauvais garçon.
Ta robe est déchirée, je n'ai plus de maison,
Je n'ai plus que la belle saison.

Et ta main dans ma main
Qui joue avec mes doigts
J'ai mes yeux dans tes yeux
Et partout l'on ne voit
Que la nuit, belle nuit
Que le ciel merveilleux
Qui fleurit, tour à tour, tendre et mystérieux
Viens plus près mon amour, ton cœur contre mon cœur
Et dis-moi qu'il n'est pas de plus charmant bonheur
On oublie l'aventure,
Et la route et demain,
Mais qu'importe puisque j'ai ta main !

Après deux ans passés à chanter en duo avec Johnny Hess, Charles Trenet avait presque vingt-cinq ans lorsqu'il démarra sa carrière solo à l'*A.B.C.* en mars 1938. Cette chanson d'une grande fraîcheur poétique ne figurait plus à son répertoire de scène depuis plusieurs décennies, lorsqu'il décida de la reprendre lors de sa dernière série de récitals salle Pleyel en novembre 1999.

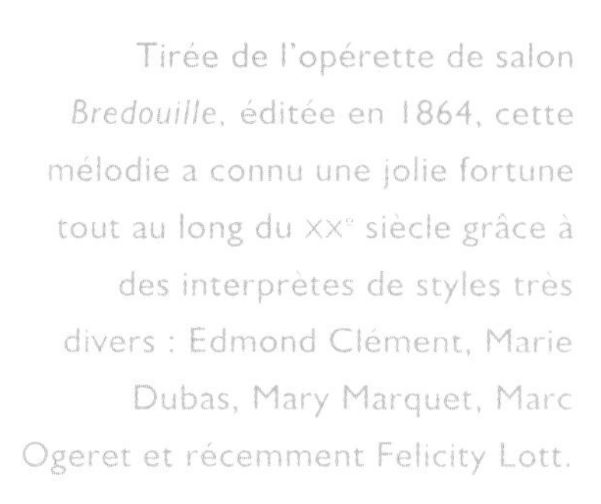

Tirée de l'opérette de salon *Bredouille*, éditée en 1864, cette mélodie a connu une jolie fortune tout au long du XXe siècle grâce à des interprètes de styles très divers : Edmond Clément, Marie Dubas, Mary Marquet, Marc Ogeret et récemment Felicity Lott.

Ça fait peur aux oiseaux
ou Couplets de l'oiselière

Paroles de Galoppe d'Onquaire
Musique de Paul Bernard

Ne parlez pas tant, Lisandre,
Quand nous tendons nos filets ;
Les oiseaux vont vous entendre
Et s'enfuiront des bosquets.
Aimez-moi sans me le dire,
Aimez-moi sans me le dire,
A quoi bon tous ces grands mots ?
Calmez ce bruyant délire,
Car ça fait peur aux oiseaux ;
Calmez ce bruyant délire,
Car ça fait peur aux oiseaux.

Bon ! vous m'appelez cruelle,
Vraiment vous perdez l'esprit ;
Vous me croyez infidèle...
Ne faites pas tant de bruit.
Quoi ! vous parlez de vous pendre,
Quoi ! vous parlez de vous pendre
Aux branches de ces ormeaux !...
Mais vous savez bien, Lisandre
Que ça f'rait peur aux oiseaux ;
Mais vous savez bien, Lisandre,
Que ça f'rait peur aux oiseaux.

Vous tenez ma main, Lisandre,
Comment puis-je vous aider ?
Il faudrait, à vous entendre,
Vous accorder un baiser.
Ah ! prenez-en deux bien vite,
Oui, prenez-en deux bien vite,
Et retournez aux pipeaux
Mieux vaut en finir de suite,
Car ça fait peur aux oiseaux ;
Mieux vaut en finir de suite,
Car ça fait peur aux oiseaux.

Les mots d'amour

arlez-moi d'amour

Paroles et musique de Jean Lenoir

Parlez-moi d'amour,
Redites-moi des choses tendres.
Votre beau discours,
Mon cœur n'est pas las de l'entendre.
Pourvu que toujours
Vous répétiez ces mots suprêmes :
Je vous aime.

Vous savez bien
Que dans le fond je n'en crois rien
Mais cependant je veux encore
Écouter ce mot que j'adore.
Votre voix aux sons caressants
Qui le murmure en frémissant
Me berce de sa belle histoire
Et malgré moi je veux y croire.

Parlez-moi d'amour,
Redites-moi des choses tendres.
Votre beau discours,
Mon cœur n'est pas las de l'entendre.
Pourvu que toujours
Vous répétiez ces mots suprêmes :
Je vous aime.

Il est si doux,
Mon cher trésor, d'être un peu fou.
La vie est parfois trop amère
Si l'on ne croit pas aux chimères.
Le chagrin est vite apaisé
Et se console d'un baiser.
Du cœur on guérit la blessure
Par un serment qui le rassure.

Parlez-moi d'amour,
Redites-moi des choses tendres.
Votre beau discours,
Mon cœur n'est pas las de l'entendre.
Pourvu que toujours
Vous répétiez ces mots suprêmes :
Je vous aime.

Lucienne Boyer a découvert cette chanson chez l'auteur-éditeur Jean Lenoir en entendant répéter une soprano débutante et a demandé qu'on l'adapte à sa tessiture plus grave. Après l'avoir créée au cabaret, elle l'enregistra chez Columbia et reçut en 1930 le premier grand prix du disque. Son interprétation câline consacra en effet le disque (et bientôt la radio) comme support majeur de diffusion de la chanson. Désormais présent au cœur des foyers, l'artiste semblait s'adresser à chaque auditeur en particulier. Après Lucienne Boyer, les interprètes n'ont cessé de reprendre *Parlez-moi d'amour*, notamment Juliette Gréco qui la chante de façon très sensuelle. Cette mélodie a suscité une quinzaine d'adaptations étrangères.

Créé par Guy Berry en 1934, ce tango a été repris par tous les chanteurs de charme de l'époque : Tino Rossi, Jean Lumière, André Pasdoc... Le registre intimiste de cette chanson convenait parfaitement au cabaret, au disque et à la radio.

Apprenez-moi des mots d'amour

Paroles de Maurice Charmeroy et René Margand
Musique de A. J. Pesenti et A. Mario Melfi

Apprenez-moi des mots d'amour
Les mots dont je rêve toujours
Et que je voudrais un beau jour
Pouvoir vous répéter moi-même
Apprenez-moi des mots d'amour
Et quand vous me direz « Je t'aime »
Q'importe si mon cœur est lourd
Je pourrai vous dire à mon tour
Mon amour...

Toujours votre charme m'attire
Et lorsque je vous vois sourire
Je ne sais comment vous dire
L'aveu que je n'ose exprimer
Je souffre de mon ignorance
Et craignant votre indifférence
De vous, j'implore l'indulgence...
Je ne sais rien du verbe aimer

Apprenez-moi des mots d'amour
Les mots dont je rêve toujours
Et que je voudrais un beau jour
Pouvoir vous répéter moi-même
Apprenez-moi des mots d'amour
Et quand vous me direz « Je t'aime »
Q'importe si mon cœur est lourd
Je pourrai vous dire à mon tour
Mon amour...

Pendant mes nuits de rêverie
J'écoute votre voix chérie
Qui met en moi la griserie
Des mots que je ne connaissais pas.
Je vous réponds d'une caresse
Car pour vous dire ma tendresse
Vainement je cherche sans cesse
Et mon cœur vous supplie tout bas...

Apprenez-moi des mots d'amour
Les mots dont je rêve toujours
Et que je voudrais un beau jour
Pouvoir vous répéter moi-même
Apprenez-moi des mots d'amour
Et quand vous me direz « Je t'aime »
Q'importe si mon cœur est lourd
Je pourrai vous dire à mon tour
Mon amour...

Je sais que vous êtes jolie

Paroles d'Henri Poupon
Musique d'Henri Christiné

Créée en 1912 par Jean Flor et Vorelli, cette mélodie est une des plus belles compositions de Christiné, à la fois sentimentale et délicatement syncopée. Cette chanson connut un nouveau succès en 1933, intégrée dans l'opérette *Le Bonheur mesdames*. Jean Sablon, le plus crooner des interprètes français du moment et grand amateur de rythme, ne s'y trompa pas et l'enregistra l'année suivante, accompagné par un trio de choc : Django Reinhardt, Alec Siniavine et André Ekyan.

–Vraiment, Monsieur, je voudrais enfin savoir
Pour quel motif vous me suivez tous les soirs
Chaque fois qu'il faut que je sorte
Je vous retrouve à ma porte !
– Mademoiselle, j'ai tort, pardonnez-moi,
Mais votre grâce a mis mon cœur en émoi,
Je sais bien que vous en rirez
Que jamais vous ne m'aimerez,
Je sais cela, oui, mais voilà

Je sais... que vous êtes jolie,
Que vos grands yeux pleins de douceur
Ont charmé tout mon cœur
Et que c'est pour la vie
Je sais... que c'est une folie
Que loin de vous je devrais
M'en aller à jamais...
Je sais, je sais que vous êtes jolie !

– Allons, Monsieur, quittez donc votre air fâché,
Votre constance a fini par me toucher,
Mais sachez-le, je suis changeante,
Coquette et parfois méchante.
– Ah ! taisez-vous, ne gâtez pas mon bonheur,
Ne dites pas que votre amour est trompeur
Aucun de nous deux n'est parfait
Tous vos défauts, je les connais,
Je sais cela
Oui, mais voilà !

Je sais... que vous êtes jolie,
Que vos grands yeux pleins de douceur
Ont charmé tout mon cœur
Et que c'est pour la vie
Je sais... que c'est une folie
Et que demain, par plaisir
Vous me ferez souffrir...
Je sais, je sais que vous êtes jolie !

– Adieu, Monsieur, je m'en vais, oubliez-moi
Tout est fini, ce mot vous dira pourquoi
De vous mentir, oui je suis lasse,
Le cœur change et l'amour passe !
– Fini ! déjà ! hélas, j'aurais dû prévoir
Qu'ils sont menteurs les baisers d'un premier soir,
Je devrais, dans mon cœur meurtri,
N'avoir pour vous que du mépris !
Mais devant moi,
Quand je vous vois !

Je sais... que vous êtes jolie,
Et je suis prêt à pardonner,
Pour ne pas voir briser
La chaîne qui nous lie,
Je sais que c'est une folie
Que loin de moi je devrais
Vous chasser à jamais...
Je sais, je sais que vous êtes jolie !

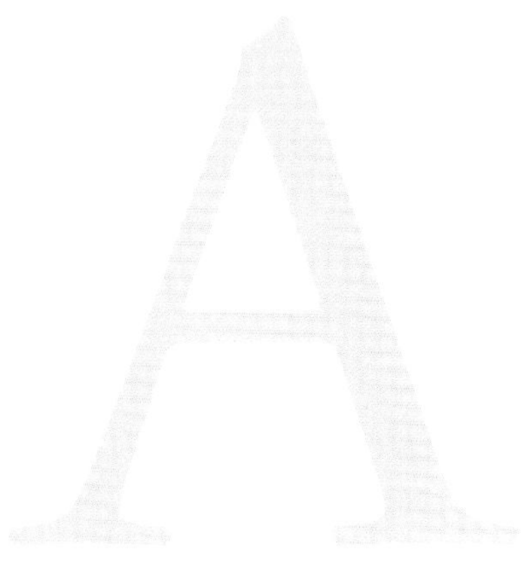

Ah ! Dis donc, dis donc

Paroles d'Alexandre Breffort
Musique de Marguerite Monnot

Cette chanson bastringue est tirée de la comédie musicale *Irma la douce*, créée en 1956 au théâtre Grammont, qui raconte l'histoire d'une prostituée et d'un proxénète fleur bleue. Ce rôle en or, refusé par plusieurs vedettes, révèle les talents de la jeune Colette Renard. Authentique Parisienne, elle a joué près de mille fois ce rôle à la fois canaille, tendre et désespéré, qui lui colle à la peau. Zizi Jeanmaire l'enregistra en 1957 dans une version plus gouailleuse, puis le succès du spectacle inspira un film tourné en 1963 par Billy Wilder avec Shirley MacLaine dans le rôle-titre.

Ah ! Dis donc, dis donc, dis donc, dis donc, dis donc,
C'que tu m'plais j'en suis dingue
Ah ! Dis donc, dis donc, dis donc, dis donc, dis donc,
C'est toi qui m'fais du gringue
Ah ! non c'est pas du pour
Je suis bien mordue pour ta jolie gueule d'amour
Ma gueule à moi
Ah ! Dis donc, dis donc, dis donc, dis donc, dis donc,
J'sais pas c'qui m'arrive là
Ah ! Dis donc, dis donc, dis donc, dis donc, dis donc,
Tous les jours c'est gala
C'est pas du boniment
Du bidon, car je sens
Battre mon palpitant
Quand je te vois

C'est idiot mais c'est comme ça
Qu'un jour ou l'autre on soit mordu
Tant pis pour c'qu'on en dira
Qu'on est des caves ou des tordus

Ah ! Dis donc, dis donc, dis donc, dis donc, dis donc,
J'en ai le vertige
Ah ! Dis donc, dis donc, dis donc, dis donc, dis donc,
Un volcan dans la peau
Un frisson d'un seul coup
Qui nous court dans les genoux
Je vous l'dis entre nous
C'est pas du mou !
Ah ! Dis donc, dis donc, dis donc, dis donc, dis donc,
L'amour c'est un délire
Ah ! Dis donc, dis donc, dis donc, dis donc, dis donc,
Un truc qui vous chavire
Un cyclone un typhon
Qui vous tord les arpions
Dans toutes les directions
Un truc champion

C'est idiot mais c'est comme ça
Qu'un jour ou l'autre on soit mordu
Tant pis pour c'qu'on en dira
Qu'on est des caves ou des tordus

Ah ! Dis donc, dis donc, dis donc, dis donc, dis donc,
L'amour quand ça vous paume
Ah ! Dis donc, dis donc, dis donc, dis donc, dis donc,
C'que j'vais gâter mon môme
Ah ! non c'est pas du pour
Je suis bien mordue pour ta jolie gueule d'amour
Ma gueule à moi.

La Javanaise

Paroles et musique de Serge Gainsbourg

Dans ce slow langoureux composé en 1962 pour Juliette Gréco, Serge Gainsbourg s'inspira adroitement de l'esprit d'un argot des années 1920 (qui consistait à intercaler « av » entre toutes les syllabes des mots) pour écrire des paroles pleines d'allitérations. C'est une des rares chansons de ses débuts que Gainsbourg garda longtemps à son répertoire et que son public, parfois très jeune, connaissait par cœur.

J'avoue
J'en ai
Bavé
Pas vous
Mon amour
Avant
D'avoir
Eu vent
De vous
Mon amour

Ne vous déplaise
En dansant la Javanaise
Nous nous aimions
Le temps d'une chanson.

À votre
Avis
Qu'avons-
Nous vu
De l'amour
De vous
À moi
Vous m'a-
Vez eu
Mon amour

Hélas
Avril
En vain
Me voue
À l'amour
J'avais
Envie
De voir
En vous
Cet amour

Ne vous déplaise
En dansant la Javanaise
Nous nous aimions
Le temps d'une chanson.

La vie
Ne vaut
D'être
Vécue
Sans amour
Mais c'est
Vous qui
L'avez
Voulu
Mon amour

Ne vous déplaise
En dansant la Javanaise
Nous nous aimions
Le temps d'une chanson.

Connu comme auteur-compositeur-interprète, Charles Aznavour a souvent collaboré avec des compositeurs (Pierre Roche à ses débuts, puis Florence Véran, Jeff Davis, Gilbert Bécaud, Jean Constantin, Michel Legrand, Henri Salvador, Georges Garvarentz…), plus rarement avec des paroliers. Parmi ceux-ci, Jacques Plante est le principal : on doit au tandem quelques belles réussites comme *Les Comédiens*, *Un Mexicain*, *La Bohème* et cet étonnant *For me formidable* créé en 1964.

For me formidable

Paroles de Jacques Plante, musique de Charles Aznavour

You are the one for me, for me, for me, formidable
You are my love very, very, very, véritable
Et je voudrais pouvoir un jour enfin te le dire
Te l'écrire
Dans la langue de Shakespeare
My daisy, daisy, daisy, désirable
Je suis malheureux d'avoir si peu de mots
À t'offrir en cadeaux
Darling I love you, love you, darling I want you
Et puis c'est à peu près tout
You are the one for me, for me, for me, formidable

You are the one for me, for me, for me, formidable
But how can you
See me, see me, see me, si minable
Je ferais mieux d'aller choisir mon vocabulaire
Pour te plaire
Dans la langue de Molière
Toi, tes eyes, ton nose, tes lips adorables
Tu n'as pas compris tant pis
Ne t'en fais pas et viens-t-en dans mes bras
Darling I love you, love you,
Darling, I want you
Et puis le reste on s'en fout
You are the one for me, for me, for me, formidable
Je me demande même
Pourquoi je t'aime
Toi qui te moques de moi et de tout
Avec ton air canaille, canaille, canaille
How can I love you

Le bonheur

Dieu ! qu'il la fait bon regarder

Paroles de Charles d'Orléans
Musique de Gilles Binchois

Ce rondeau du XVe siècle est dû à la plume du poète Charles d'Orléans, le petit-fils de Charles V. Fait prisonnier par les Anglais durant la bataille d'Azincourt en 1415, il a composé la plupart de ses chansons et nombreux poèmes durant sa captivité qui dura vingt-cinq ans.

Dieu ! qu'il la fait bon regarder,
La gracieuse, bonne et belle !
Pour les grands biens qui sont en elle
Chacun est prêt de la louer.

Qui se pourrait d'elle lasser ?
Tous jours sa beauté renouvelle,
Dieu ! qu'il la fait bon regarder,
La gracieuse, bonne et belle !

Par deçà ni delà la mer
Ne sais dame ni damoiselle
Qui soit en tous biens parfois telle.
C'est un songe que d'y penser :
Dieu ! qu'il la fait bon regarder !

Aux marches du palais

Anonyme, XVIIIe siècle

Originaire d'Île-de-France (le palais évoqué n'est autre que le palais de Justice de Paris), cette chanson envoûtante est devenue l'une des pièces les plus valorisées du répertoire traditionnel, enregistrée par de nombreuses vedettes de la chanson à texte : Yves Montand, Cora Vaucaire, Germaine Montero... La forme poétique actuelle, fixée au début du XXe siècle et chantée en romance, souvent à deux voix, est assez éloignée de ses origines coquines que l'on peut situer au XVIIIe siècle.

Aux marches du palais *(bis)*
Y'a une tant belle fille, lon, la,
Y'a une tant belle fille.

Elle a tant d'amoureux *(bis)*
Qu'ell' ne sait lequel prendre lon, la,
Qu'ell' ne sait lequel prendre.

C'est un p'tit cordonnier *(bis)*
Qu'a eu sa préférence...

Et c'est en la chaussant *(bis)*
Qu'il lui fit sa demande...

La bell' si tu voulais *(bis)*
Nous dormirions ensemble...

Dans un grand lit carré *(bis)*
Garni de toile blanche...

Aux quatre coins du lit *(bis)*
Un bouquet de pervenches...

Dans le mitan du lit *(bis)*
La rivière est profonde...

Tous les chevaux du roi *(bis)*
Pourraient y boire ensemble...

Et là nous dormirions *(bis)*
Jusqu'à la fin du monde.

Je suis aimé de la plus belle

Paroles de Clément Marot, musique anonyme

Je suis aimé de la plus belle
Qui soit vivant dessous les cieux.
Encontre tous faux envieux
Je la soutiendrai être telle.

Si Cupidon doux et rebelle
Avait débandé ses deux yeux
Pour voir son maintien gracieux,
Je crois qu'amoureux serait d'elle.

Vénus, la déesse immortelle,
Tu as fait son cœur bien heureux
De l'avoir fait être amoureux
D'une si noble demoiselle.

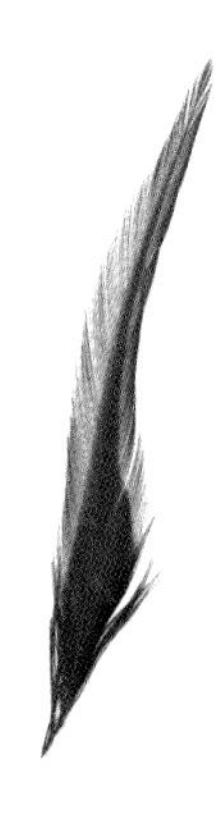

Ce poème écrit au XVIe siècle est de Clément Marot (fils de Jean Marot, auquel il succéda comme valet de chambre de François Ier), qui fut un grand galant et un coureur de belles… malgré ses protestations de fidélité.

Mais qu'est-ce que j'ai !

Paroles d'Édith Piaf, musique d'Henri Betti

Mais qu'est-c'que j'ai à tant l'aimer
Que ça me donne envie d'crier
Sur tous les toits, elle est à moi
J'aurais l'air fin si j'faisais ça
C'est pas normal me direz-vous
D'aimer comm' ça faut être fou !
Je le suis bien oui mais voilà
Je n'y peux rien c'est malgré moi
Et quand ça m'prend y'a rien à faire
Je l'aime tant c'est merveilleux
Je ne vis plus sur cette terre
Lorsque je rêve à ses yeux
À ces yeux bleus
Comme l'azur
À ces cheveux
D'un blond si pur
Mais qu'est-c'que j'ai à tant l'aimer,
Mais qu'est-c'que j'ai !
Mais qu'est-c'que j'ai !

L'amour c'est vraiment extraordinaire
Je n'ai plus du tout les pieds sur la terre
Tous mes copains maint'nant se moqu'nt de moi
Car au plus loin que je les aperçois
Allez ça y'est, me v'là r'parti !
Elle a cela, elle a ceci,
Oui, oui qu'i' dis'nt on voit très bien
Ces idiots n'y comprennent rien !
Mais qu'est-c'que j'ai ! mais qu'est-c'que j'ai ! mais qu'est-c'que j'ai !

Mais qu'est-c'que j'ai à tant l'aimer
Que ça me donne envie d'crier
Sur tous les toits, elle est à moi
J'aurais l'air fin si j'faisais ça
C'est merveilleux un grand amour
Quand c'est basé sur du toujours
Pour un rien, je suis malheureux
Pour encor' moins je suis heureux
Et quand ça m'prend y'a rien à faire
Je l'aime tant c'est merveilleux
Je ne vis plus sur cette terre
Lorsque je rêve à ses yeux
À ces yeux bleus
Comme l'azur
À ces cheveux
D'un blond si pur
Mais qu'est-c'que j'ai à tant l'aimer,
Mais qu'est-c'que j'ai !
Mais qu'est-c'que j'ai !

Yves Montand débuta à Paris à la fin de l'Occupation avec un répertoire de chansons inspirées par l'imagerie du cow-boy, en costume de scène assorti. La rencontre d'Édith Piaf, dont il partagea la vie durant quelques années, fut déterminante. Outre de précieux conseils artistiques, un rôle avec elle dans le film *Étoile sans lumière* (1945), il lui dut quelques belles chansons, dont ce lyrique *Mais qu'est-ce que j'ai* qu'il a enregistré en 1947.

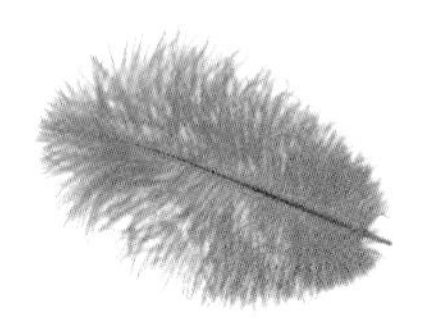

C'est si bon

Paroles d'André Hornez, musique d'Henri Betti

Inspiré par la vitrine d'un magasin de lingerie féminine à Nice durant l'été 1947, Henri Betti trouva le titre et composa la musique de cette chanson, dont il demanda à André Hornez d'écrire les paroles. Ce dernier y mit le zeste d'érotisme qui devait être la clef de son succès. La partition fut découverte chez l'éditeur Paul Beuscher par Suzy Delair qui la créa au festival de jazz de Nice quelques mois plus tard. Louis Armstrong l'entendit, l'emporta dans ses bagages et lança une version anglaise aux États-Unis. La version française fut enregistrée en premier par l'orchestre de Jacques Hélian, puis par Yves Montand, alors que les Américains sont persuadés qu'elle appartient à leur folklore noir !

Je ne sais pas s'il en est de plus blonde,
Mais de plus belle il n'en est pas pour moi,
Elle est vraiment toute la joie du monde,
Ma vie commence dès que je la vois.
Et je fais : Oh!
Et je fais : Ah!

C'est si bon
De partir n'importe où
Bras dessus, bras dessous
En chantant des chansons.
C'est si bon
De se dir' des mots doux,
Des petits riens du tout
Mais qui en disent long.

En voyant notre mine ravie
Les passants, dans la rue, nous envient.
C'est si bon
De guetter dans ses yeux
Un espoir merveilleux
Qui donne le frisson.
C'est si bon
Ces petites sensations,
Ça vaut mieux qu'un million,
Tell'ment, tell'ment c'est bon.

Vous devinez quel bonheur est le nôtre
Et si je l'aime vous comprendrez pourquoi
Elle m'enivre et je n'en veux pas d'autres
Car elle est toutes les femmes à la fois
Ell' me fait OH! Ell' me fait AH!

C'est si bon
De pouvoir l'embrasser
Et puis d'recommencer
À la moindre occasion
C'est si bon
De jouer du piano
Tout le long de son dos
Tandis que nous dansons
C'est inouï ce qu'elle a pour séduire
Sans parler de c'que je n'peux pas dire
C'est si bon
Quand j'la tiens dans mes bras
De me dire que tout ça
C'est à moi pour de bon
C'est si bon
Et si nous nous aimons
Cherchez pas la raison
C'est parc'que c'est si bon
C'est parc'que c'est trop bon.

Mon manège à moi
ou Tu me fais tourner la tête

Paroles de Jean Constantin
Musique de Norbert Glanzberg

Créée simultanément par Yves Montand, Édith Piaf et son auteur Jean Constantin en 1958, cette chanson au style approchant la musique de manège, dont le rythme est plus proche d'un fox-boléro que de la valse, a pourtant donné le tournis à toute une génération. L'exploit a été renouvelé par Étienne Daho qui l'a reprise en 1992 dans une version intimiste.

Tu me fais tourner la tête
Mon manège à moi c'est toi
Je suis toujours à la fête
Quand tu me prends dans tes bras
Je ferais le tour du monde
Ça ne tourn'rait pas plus qu'ça
La terr' n'est pas assez ronde
Pour m'étourdir autant qu'toi

Comme on est bien tous les deux
Quand on est ensembl' nous deux
Quelle vie on a tous les deux
Quand on s'aim' comme nous deux
On pourrait changer d'planète
Tant qu'j'ai mon cœur près du tien
J'entends les flonflons d'la fête
Et la terr' n'y est pour rien

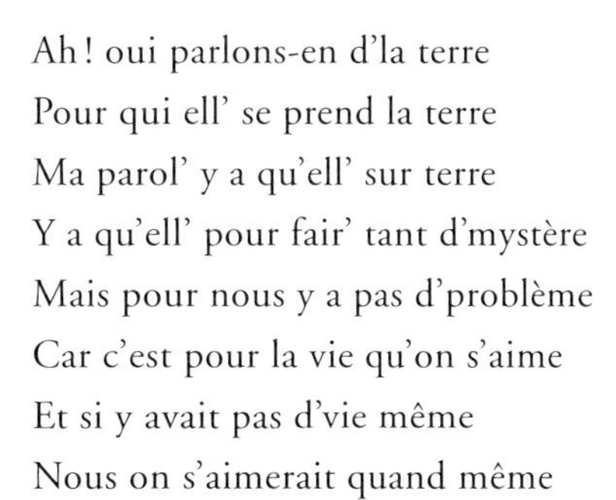

Ah ! oui parlons-en d'la terre
Pour qui ell' se prend la terre
Ma parol' y a qu'ell' sur terre
Y a qu'ell' pour fair' tant d'mystère
Mais pour nous y a pas d'problème
Car c'est pour la vie qu'on s'aime
Et si y avait pas d'vie même
Nous on s'aimerait quand même

Car...
Tu me fais tourner la tête
Mon manège à moi c'est toi
Je suis toujours à la fête
Quand tu me prends dans tes bras
Je ferais le tour du monde
Ça ne tourn'rait pas plus qu'ça
La terr' n'est pas assez ronde
Pour m'étourdir autant qu'toi

Je ferais le tour du monde
Ça ne tourn'rait pas plus qu'ça
J'ai beau chercher à la ronde
Mon manège à moi c'est toi

ascination

Paroles de Maurice Féraudy, musique de Fermo D. Marchetti

Composée en 1904 et déposée à la Sacem début 1905 par Marchetti, alors chef d'orchestre de l'Élysée-Palace, *Fascination* est la chanson qui, durant longtemps, a rapporté le plus de droits d'auteur après le *Boléro* de Maurice Ravel. Cette valse lente emblématique de la Belle Époque reste comme le principal succès de Paulette Darty. Elle ne l'a pourtant jamais enregistrée, car un mariage mit un terme provisoire à sa carrière : elle n'est remontée sur scène qu'à la fin des années 1920. Devenue un succès international, enregistrée par Léo Marjane, Dario Moreno, Danielle Darrieux ou Mado Robin, cette chanson a même été chantée en anglais par Nat King Cole.

Je t'ai rencontré simplement,
Et tu n'as rien fait pour chercher à me plaire,
Je t'aime pourtant
D'un amour ardent
Dont rien, je le sens, ne pourra me défaire.
Tu seras toujours mon amant
Et je crois à toi comme au bonheur suprême,
Je te fuis parfois mais je reviens quand même,
C'est plus fort que moi : je t'aime !
Lorsque je souffre il me faut tes yeux
Profonds et joyeux
Afin que j'y meure
Et j'ai besoin pour revivre, amour,
De t'avoir un jour,
Moins qu'un jour, une heure !...
De me bercer un peu dans tes bras
Quand mon cœur est las,
Quand parfois je pleure...
Ah ! crois-le bien, mon chéri, mon aimé, mon roi,
Je n'ai de bonheur qu'avec toi !

Je t'ai rencontré simplement,
Et tu n'as rien fait pour chercher à me plaire,
Je t'aime pourtant
D'un amour ardent
Dont rien, je le sens, ne pourra me défaire.
Tu seras toujours mon amant
Et je crois à toi comme au bonheur suprême,
Je te fuis parfois mais je reviens quand même,
C'est plus fort que moi : je t'aime !
C'est toi l'ami, quand est mort l'espoir,
Dont on rêve un soir,
Et que l'âme implore...
L'ami fidèle, et jamais constant,
Et le seul pourtant
Qu'une femme adore !...
Sous tes baisers les chagrins passés
Sont vite effacés
Et l'on s'aime encore !...
Ah ! crois-le bien, mon chéri, mon aimé, mon roi,
Je n'ai de bonheur qu'avec toi !

Reviens-moi
Reprends-moi...
Je t'ai rencontré simplement,
Et tu n'as rien fait pour chercher à me plaire,
Je t'aime pourtant
D'un amour ardent
Dont rien, je le sens, ne pourra me défaire.
Tu seras toujours mon amant
Et je crois à toi comme au bonheur suprême,
Je te fuis parfois mais je reviens quand même,
C'est plus fort que moi : je t'aime !

on cœur est un violon

Paroles et musique de Miarka Laparcerie

Mon cœur est un violon
Sur lequel ton archet joue
Et qui vibre tout du long
Appuyé contre ta joue
Tantôt l'air est vif et gai
Comme un refrain de folie,
Tantôt le son fatigué
Traîne avec mélancolie.

Dans la nuit qui s'achève
Mon cœur est plein de toi,
La musique est un rêve
Qui vibre sous tes doigts
Sous tes doigts la caresse
Rend mon désir si fort,
Qu'il va jusqu'à l'ivresse
Et meurt à la fin de l'accord.

Mon cœur est un violon
Sur lequel ton archet joue
Et qui vibre tout du long
Appuyé contre ta joue
Tantôt l'air est vif et gai
Comme un refrain de folie,
Tantôt le son fatigué
Traîne avec mélancolie.

Et vibrant à l'unisson,
Mon cœur est un violon...

La voix chaude et câline de Lucienne Boyer a marqué de façon émouvante cette œuvre de Miarka Laparcerie composée en 1945 d'après un poème de son grand-père Jean Richepin (connu à la fin du XIXe siècle pour quelques belles chansons comme *La Glu*, *Les deux ménétriers*, *Le paradis du rêve* et surtout le recueil de poèmes *La chanson des gueux*). De nombreux interprètes l'ont mise par la suite à leur répertoire, comme Lucky Blondo en 1969.

La Vie en rose

Paroles d'Édith Piaf, musique de Louiguy

Des yeux qui font baisser les miens
Un rire qui se perd sur sa bouche
Voilà le portrait sans retouches
De l'homme auquel j'appartiens.

Quand il me prend dans ses bras
Qu'il me parle tout bas
Je vois la vie en rose
Il me dit des mots d'amour
Des mots de tous les jours
Et ça me fait quelque chose
Il est entré dans mon cœur
Une part de bonheur
Dont je connais la cause
C'est lui pour moi, moi pour lui, dans la vie
Il me l'a dit, l'a juré pour la vie
Et dès que je l'aperçois
Alors je sens en moi
Mon cœur qui bat.

Des nuits d'amour à plus finir
Un grand bonheur qui prend sa place
Les ennuis, les chagrins s'effacent
Heureux, heureux à en mourir.

Quand il me prend dans ses bras
Qu'il me parle tout bas
Je vois la vie en rose
Il me dit des mots d'amour
Des mots de tous les jours
Et ça me fait quelque chose
Il est entré dans mon cœur
Une part de bonheur
Dont je connais la cause
C'est lui pour moi, moi pour lui, dans la vie
Il me l'a dit, l'a juré pour la vie
Et dès que je l'aperçois
Alors je sens en moi
Mon cœur qui bat.

Cette romance passionnée écrite sur le thème de la femme soumise est une vraie création d'Édith Piaf, qui en a signé les paroles et la mélodie du refrain. Recalée à l'examen de la Sacem pour la partie musique, il lui fallait un compositeur pour la signer : ce fut Louiguy. Dissuadée par son entourage de la chanter elle-même, Piaf l'a d'abord confiée à son amie Marianne Michel, qui l'a enregistrée la première en 1946 dans un style réaliste. Puis elle l'a reprise à son compte l'année suivante de façon plus personnelle, avec un pathétique vocal qui provoqua l'adhésion des spectateurs. Les chanteurs de charme comme Jean Sablon lui ont donné par la suite une couleur de romance, et c'est sous cette forme qu'elle a franchi les frontières. Devenue mondialement célèbre, *La Vie en rose* a séduit les interprètes les plus divers, de Louis Armstrong à Marlene Dietrich ou Grace Jones en version disco.

Insensiblement

Paroles et musique de Paul Misraki

Membre des collégiens de Ray Ventura, l'auteur-compositeur Paul Misraki a suivi l'orchestre au cours de son exil au Brésil en novembre 1941. C'est là-bas qu'il a composé et enregistré en 1942 cette chanson qui resta longtemps parmi ses préférées. Créée au même moment par Renée Lebas en Suisse, elle ne fut éditée en France qu'en 1946 et reprise par la suite par un grand nombre d'interprètes : Yves Montand, Jean Sablon...

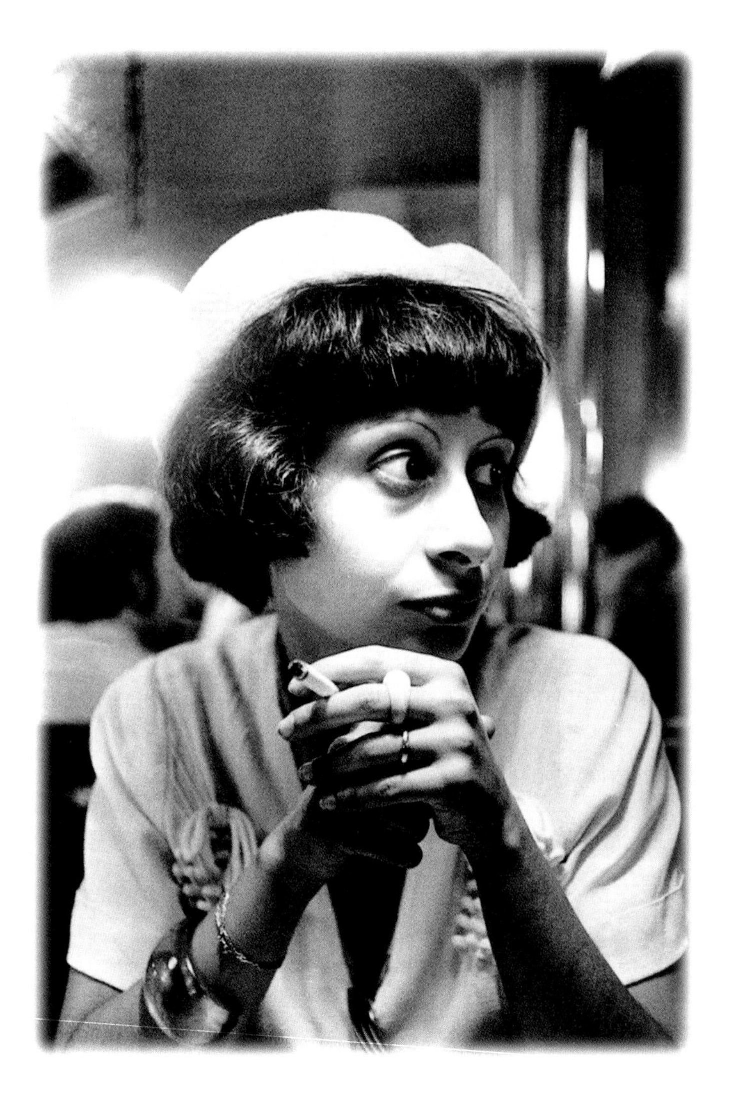

Insensiblement vous vous êtes glissée dans ma vie
Insensiblement vous vous êtes logée dans mon cœur
Vous étiez d'abord comme une amie [1], comme une sœur ;
Nous faisions de l'ironie,
Sur le bonheur.
Insensiblement nous nous sommes tous deux laissé prendre,
Insensiblement tous mes rêves m'ont parlé de vous.
Nous avons dit des mots tendres et fous, et nous avons vu naître en nous,
Insensiblement,
Insensiblement l'amour

Frêles propos en l'air où êtes-vous ?...
Et tous nos rêves clairs, où êtes-vous ?...
Nul ne pensait que vos lèvres étaient faites pour nous murmurer :
« Mon chéri ! »
Et comme nous aurions ri,
Si quelqu'un nous l'avait dit...
Oui, mais,
Insensiblement vous vous êtes glissée dans ma vie
Insensiblement vous vous êtes logée dans mon cœur
J'ai trouvé en vous mieux qu'une amie [1], mieux qu'une sœur ;
Nous formons une harmonie,
L'accord majeur.
Insensiblement nous nous sommes tous deux laissé prendre,
Insensiblement je n'ai vu de bonheur que par vous.
Nous avons dit des mots tendres et fous, et nous avons vu naître en nous,
Insensiblement,
Insensiblement l'amour

[1] *Version pour les dames :* Vous avez en moi mieux qu'une amie

Cette chanson de 1935 est à classer dans le registre de l'intimité, genre dans lequel Lucienne Boyer excellait avec sa voix faite pour la confidence amoureuse. Le succès de *Parlez-moi d'amour* (grand prix du disque en 1930) lui a valu d'être l'une des premières vedettes françaises outre-Atlantique. Elle a pourtant refusé les propositions d'Hollywood, préférant le cadre du cabaret, le contact direct avec le public.

Un amour comme le nôtre

Paroles d'Alex Farel, musique de Charles Borel-Clarc

Pourquoi lis-tu tant de romans ?
Pierre Benoit ou Pierre Morand ?
Penses-tu trouver dans leurs livres
De quoi rêver des nuits, des jours
Quand le plus beau roman d'amour
Nous sommes en train de le vivre.
N'avons-nous pas assez lutté
Pour vivre ensemble et nous aimer ?
Ferme les yeux, recueille-toi...
Car tu sais si bien que moi :

Un amour comme le nôtre
Il n'en existe pas deux
Ce n'est pas celui des autres,
C'est quelque chose de mieux
Sans me parler, je sais ce que tu veux me dire...
À mon regard, tu vois tout ce que je désire...
Pourquoi demander aux autres
Un roman plus merveilleux ?
Un amour comme le nôtre
Il n'en existe pas deux.

Je sais, les romans c'est certain,
T'emmènent en des pays lointains
Sous des ciels bleus, de clairs rivages.
Oui, mais là-bas qu'y trouve-t-on ?
Des rues, des taxis, des maisons...
Chérie, méfie-toi des mirages...
Tiens, regarde notre intérieur :
Des livres, des chansons, des fleurs,
Et mes deux bras pour te bercer...
Et mon cœur pour toujours t'aimer...

Un amour comme le nôtre
Il n'en existe pas deux
Ce n'est pas celui des autres,
C'est quelque chose de mieux
Sans me parler, je sais ce que tu veux me dire...
À mon regard, tu vois tout ce que je désire...
Pourquoi demander aux autres
Un roman plus merveilleux ?
Un amour comme le nôtre
Il n'en existe pas deux.

Berceuse tendre

Paroles de Léo Daniderff et Émile Ronn
Musique de Léo Daniderff

Il fait si bon près de toi
Que j'y passais ma vie ;
Dans tes deux bras berce-moi,
Car il faut que j'oublie
Sans me demander pourquoi,
Si je souffre ou si je t'aime,
Va ! malgré tout, quand même,
Garde-moi
Tout près de toi !

Eh ! oui, parbleu, j'ai cherché le bonheur,
J'ai cru l'avoir auprès d'un autre cœur
Puis enfin, je voulais rire,
Rire jusqu'au fou délire.
J'ai connu les baisers qui rendent fou,
Les lèvres qui disent des mots très doux
Et j'ai vécu l'heure exquise
Qui grise !

Il fait si bon près de toi
Que j'y passais ma vie ;
Dans tes deux bras berce-moi,
Car il faut que j'oublie
Sans me demander pourquoi,
Si je souffre ou si je t'aime,
Va ! malgré tout, quand même,
Garde-moi
Tout près de toi !

Enfin, j'ai cherché l'inconnu, toujours !
Et voulant jeter un long cri d'amour
J'ai connu les jours moroses,
Le néant de toutes choses ;
Si bien que le cœur à jamais brisé
Je te reviens comme un oiseau blessé
Qui bat de l'aile et qui traîne
Sa peine…

Il fait si bon près de toi
Que j'y passais ma vie ;
Dans tes deux bras berce-moi,
Car il faut que j'oublie
Sans me demander pourquoi,
Si je souffre ou si je t'aime,
Va ! malgré tout, quand même,
Garde-moi
Tout près de toi !

Surnommé le « faux Russe », Léo Daniderff est né à Angers, où il est devenu organiste. Émigré à Paris, il a débuté dans les cabarets montmartrois comme chanteur et accompagnateur, puis s'est orienté vers la composition et l'édition de chansons à succès pour le café-concert. Créée par les chanteurs de charme de l'époque (Resca, Junka et surtout Vorelli), cette romance sentimentale datant de 1911 a très tôt fait partie du répertoire de Damia qui ne l'a enregistrée qu'en 1931. André Claveau l'a ensuite reprise durant l'Occupation.

Cette valse de 1938 a été écrite sur mesure pour la jeune Édith Piaf par Raymond Asso qui, depuis l'année précédente, était devenu son Pygmalion.

C'est lui que mon cœur a choisi

Paroles de Raymond Asso, musique de Max d'Yresne

Je m'rappell' plus comment on s'étaient rencontrés,
Je ne sais plus si c'est lui qui a parlé l'premier,
Ou bien si c'était moi qu'avais fait des avances,
Ça n'a pas d'importance,
Tout c'que j'veux me rapp'ler :

C'est lui qu'mon cœur a choisi.
Et quand il m'tient contre lui,
Dans ses yeux caressants
Je vois l'ciel qui fout l'camp,
C'est bon... c'est épatant!
Il a pas besoin d'parler
Il a rien qu'à m'regarder,
Et j'suis à sa merci,
Je n'peux rien contre lui,
Car mon cœur l'a choisi.

Je n'sais pas s'il est riche ou s'il a des défauts,
Mais d'l'aimer comme je l'aime, un homme est toujours beau,
Et quand on va danser, qu'il pose sur mes hanches
Ses belles mains si blanches,
Ça m'fait froid dans le dos.

C'est lui qu'mon cœur a choisi.
Et quand il m'tient contre lui,
Dans ses yeux caressants
Je vois l'ciel qui fout l'camp,
C'est bon... c'est épatant!
Il a pas besoin d'parler
Il a rien qu'à m'regarder,
Et j'suis à sa merci,
Je n'peux rien contre lui,
Car mon cœur l'a choisi.

J'sais pas c'qui m'arriv'ra, si ça dur'ra longtemps,
Mais j'me fich' du plus tard, j'veux penser qu'au présent.
En tout cas il m'a dit qu'il m'aim'rait tout' la vie,
C'que la vie s'ra jolie
Si il m'aim'... pour tout l'temps!

C'est lui qu'mon cœur a choisi.
Et quand il m'tient contre lui,
Dans ses yeux caressants
Je vois l'ciel qui fout l'camp,
C'est bon... c'est épatant!
Il a pas besoin d'parler
Il a rien qu'à m'regarder,
Et j'suis à sa merci,
Je n'peux rien contre lui,
Car mon cœur l'a choisi.

Ce slow du tonnerre était soutenu par la trompette d'Aimé Barelli, à la fois chef d'orchestre et mari de Lucienne Delyle, qui crée cette chanson en 1955, peu avant Dario Moreno.

Un ange comme ça
ou C'est du tonnerre

Paroles de Daniel Hortis, musique de Guy Magenta

C'est du tonnerr' de posséder un ang' comm' ça
C'est du tonnerr' de pouvoir dir' qu'il est à moi
Ses yeux rieurs, son teint bronzé,
Son rire joyeux, son grain d'beauté,
Ils sont à moi,
Ils sont ma joie,
J'en suis cinglée.
C'est pas du vent, c'est du réel, et croyez-moi,
Apollon même auprès de lui n'existe pas
Imaginez un demi-dieu
Que je suis seule à rendre heureux
C'est du tonnerr' de posséder un ang' comm' ça
S'il est modeste et n'se croit pas beau garçon,
On n'peut pas dir' que j'lai choisi pour ses millions
Il est fauché comm' un champ d'blé à la moisson,
Mais je m'en fous, j'ai de l'amour plein la maison
Mais puisqu'il m'aime, puisque je l'aime, puisqu'il est là
Pourquoi chercher et des raisons et des pourquoi
Je suis heureus', j'ai pas d'soucis,
Je l'suis au bal tous les sam'dis
C'est du tonnerr' de posséder un ang' comm' ça
C'est du tonnerr' de posséder un ang' comm' ça
J'ai dit un ang', mais sincèrement c'est plus que ça
Je suis violente et ça m'désole,
Je cass'rais tout, j'perds la boussole,
Quand on l'regarde,
Quand il s'attarde,
Je deviens folle.
Mais dans ses bras je me blottis comme un bambin,
Il me sourit et dans ses yeux y'a du chagrin
J'suis un démon, lui c'est un ange,
Et c'est pour ça que tout s'arrange
C'est du tonnerr' de posséder un ang' comm' ça.

a môme

Paroles de Pierre Frachet
Musique de Jean Ferrat

S'il ne se revendique pas encore comme communiste, Jean Ferrat devient grâce à cette ballade le porte-parole de la ceinture rouge de Paris. Le texte de Pierre Frachet, de style simple et familier, influencera le chanteur dans son écriture future et séduira plus tard Daniel Guichard. Cette chanson un peu ironique de 1961 cherche à démythifier la star, incarnée à l'époque par Brigitte Bardot : c'est la contestation du vedettariat et d'un certain type de société. À l'opposé de la fille d'usine décrite dans *Ma môme*, la *Jolie Môme* de Léo Ferré qui sort la même année croque un personnage bohème.

Ma môme, ell' joue pas les starlettes
Ell' met pas des lunettes
De soleil
Ell' pos' pas pour les magazines
Ell' travaille en usine
À Créteil

Dans une banlieue surpeuplée
On habite un meublé
Elle et moi
La fenêtre n'a qu'un carreau
Qui donne sur l'entrepôt
Et les toits

On va pas à Saint-Paul-de-Vence
On pass' tout's nos vacances
À Saint-Ouen
Comme famille on n'a qu'une marraine
Quelque part en Lorraine
Et c'est loin

Mais ma môme elle a vingt-cinq berges
Et j'crois bien qu'la Saint' Vierge
Des églises
N'a pas plus d'amour dans les yeux
Et ne sourit pas mieux
Quoi qu'on dise

L'été quand la vill' s'ensommeille
Chez nous y'a du soleil
Qui s'attarde
Je pose ma tête sur ses reins
Je prends douc'ment sa main
Et j'la garde

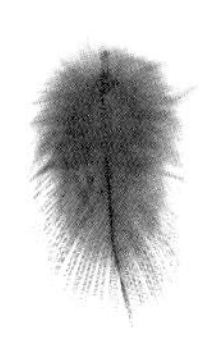

On s'dit toutes les choses qui nous viennent
C'est beau comm' du Verlaine
On dirait
On regarde tomber le jour
Et puis on fait l'amour
En secret

Ma môme, ell' joue pas les starlettes
Ell' met pas des lunettes
De soleil
Ell' pos' pas pour des magazines
Ell' travaille en usine
À Créteil

a préférence

Paroles de Jean-Loup Dabadie
Musique de Julien Clerc

Je le sais, sa façon d'être à moi parfois vous déplaît,
Autour d'elle et moi le silence se fait.
Mais elle est
Ma préférence à moi.

Oui je sais cet air d'indifférence qui est sa défense
Vous fait souvent offense.
Mais quand elle est parmi mes amis de faïence,
De faïence je sais sa défaillance.

Je le sais, on ne me croit pas fidèle à ce qu'elle est.
Et déjà vous parlez d'elle à l'imparfait,
Mais elle est
Ma préférence à moi.

Il faut le croire, moi seul je sais quand elle a froid,
Ses regards ne regardent que moi.
Par hasard elle aime mon incertitude
Par hasard j'aime sa solitude.

Je le sais, sa façon d'être à moi
Parfois vous déplaît,
Autour d'elle et moi le silence se fait.
Mais elle est
Ma chance à moi
Ma préférence à moi
Ma préférence à moi.

Dix ans après leurs premiers succès de 1968 *(La Cavalerie, La Californie)*, Julien Clerc travaillait toujours avec le parolier de ses débuts, Étienne Roda-Gil. Mais il en avait rencontré de nouveaux comme Jean-Loup Dabadie, auteur de cette chanson contre les amours trop codifiées qui figure sur l'album *Jaloux* sorti en 1978.

Francis Cabrel, jeune auteur-compositeur-interprète d'Agen aux allures de d'Artagnan, émule de Bob Dylan, enregistra son premier album *Petite Marie* en 1977. Deux ans plus tard, en terminant son deuxième disque, il décida d'ajouter une chanson qu'il venait de composer : *Je l'aime à mourir*. Enregistrée d'une seule traite avec un simple accompagnement de guitare, cette ballade sur l'amour altruiste devint le tube de l'été 1979, avec une version espagnole, puis italienne, et se vendit à 2 millions d'exemplaires !

Je l'aime à mourir

Paroles et musique de Francis Cabrel

Moi je n'étais rien,
Et voilà qu'aujourd'hui
Je suis le gardien
Du sommeil de ses nuits,
Je l'aime à mourir.

Vous pouvez détruire
Tout ce qu'il vous plaira,
Elle n'a qu'à ouvrir
L'espace de ses bras
Pour tout reconstruire,
Pour tout reconstruire.
Je l'aime à mourir.

Elle a gommé les chiffres
Des horloges du quartier,
Elle a fait de ma vie
Des cocottes en papier,
Des éclats de rire,

Elle a bâti des ponts
Entre nous et le ciel,
Et nous les traversons
À chaque fois qu'elle
Ne veut pas dormir
Ne veut pas dormir.
Je l'aime à mourir.

Elle a dû faire toutes les guerres,
Pour être si forte aujourd'hui,
Elle a dû faire toutes les guerres,
De la vie, et l'amour aussi.

Elle vit de son mieux
Son rêve d'opaline,
Elle danse au milieu
Des forêts qu'elle dessine,
Je l'aime à mourir.

Elle porte des rubans
Qu'elle laisse s'envoler,
Elle me chante souvent
Que j'ai tort d'essayer
De les retenir
De les retenir,
Je l'aime à mourir.

Pour monter dans sa grotte
Cachée sous les toits,
Je dois clouer des notes
À mes sabots de bois,
Je l'aime à mourir.

Je dois juste m'asseoir,
Je ne dois pas parler,
Je ne dois rien vouloir,
Je dois juste essayer
De lui appartenir
De lui appartenir
Je l'aime à mourir.

Elle a dû faire toutes les guerres
Pour être si forte aujourd'hui
Elle a dû faire toutes les guerres
De la vie, et l'amour aussi.

Moi je n'étais rien
Et voilà qu'aujourd'hui
Je suis le gardien
Du sommeil de ses nuits
Je l'aime à mourir.

Vous pouvez détruire
Tout ce qu'il vous plaira
Elle n'a qu'à ouvrir
L'espace de ses bras
Pour tout reconstruire
Pour tout reconstruire
Je l'aime à mourir.

on homme

Paroles d'Albert Willemetz
et de Jacques-Charles
Musique de Maurice Yvain

Sur cette terr', ma seul' joie, mon seul bonheur
C'est mon homme.
J'ai donné tout c'que j'ai, mon amour et tout mon cœur
À mon homme
Et même la nuit,
Quand je rêve, c'est de lui,
De mon homme.
Ce n'est pas qu'il est beau, qu'il est riche ni costaud
Mais je l'aime, c'est idiot,
I'm'fout des coups
I'm'prend mes sous,
Je suis à bout
Mais malgré tout
Que voulez-vous

Je l'ai tell'ment dans la peau
Qu'j'en d'viens marteau,
Dès qu'il s'approch' c'est fini
Je suis à lui
Quand ses yeux sur moi se posent
Ça me rend tout' chose
Je l'ai tell'ment dans la peau
Qu'au moindre mot
I'm'f'rait faire n'importe quoi
J'tuerais, ma foi
J'sens qu'il me rendrait infâme
Mais je n'suis qu'un' femme
Et, j'l'ai tell'ment dans la peau...

Pour le quitter c'est fou ce que m'ont offert
D'autres hommes.
Entre nous, voyez-vous ils ne valent pas très cher
Tous les hommes
La femm' à vrai dir'
N'est faite que pour souffrir
Par les hommes.
Dans les bals, j'ai couru, afin d'l'oublier j'ai bu
Rien à faire, j'ai pas pu
Quand i'm'dit : « Viens »
J'suis comme un chien
Y a pas moyen
C'est comme un lien
Qui me retient.

Je l'ai tell'ment dans la peau
Qu'j'en suis dingo.
Que cell' qui n'a pas aussi
Connu ceci
Ose venir la première
Me j'ter la pierre.
En avoir un dans la peau
C'est l'pir' des maux
Mais c'est connaître l'amour
Sous son vrai jour
Et j'dis qu'il faut qu'on pardonne
Quand un' femme se donne
À l'homm' qu'elle a dans la peau...

Inspirée de la pièce de Francis Carco *Mon homme*, créée par Cora Laparcerie en mars 1920, cette chanson écrite au départ de façon satirique par Albert Willemetz a été sublimée par l'interprétation dramatique de Mistinguett au Casino de Paris dans la revue *Paris qui jazz* au mois d'octobre. *Mon homme* est ainsi devenue l'archétype de la chanson réaliste et elle l'a gardée toute sa vie à son répertoire, comme une sorte de symbole de sa rupture avec Maurice Chevalier. À l'exception de Patachou, les interprètes ultérieures n'oseront l'enregistrer qu'après la disparition de la Miss en 1956 : Arletty, Colette Renard, Juliette Gréco, etc. La version américaine *My Man* a été créée par Fanny Brice à New York, au cours du spectacle *Ziegfeld Follies of 1921*, puis chantée par elle dans un film. Les grandes chanteuses de jazz américaines (Billie Holliday, Ella Fitzgerald, Barbra Streisand...) en ont fait un standard.

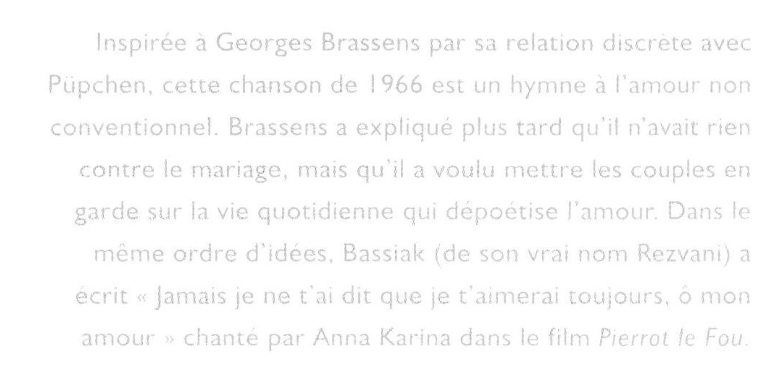
Inspirée à Georges Brassens par sa relation discrète avec Püpchen, cette chanson de 1966 est un hymne à l'amour non conventionnel. Brassens a expliqué plus tard qu'il n'avait rien contre le mariage, mais qu'il a voulu mettre les couples en garde sur la vie quotidienne qui dépoétise l'amour. Dans le même ordre d'idées, Bassiak (de son vrai nom Rezvani) a écrit « Jamais je ne t'ai dit que je t'aimerai toujours, ô mon amour » chanté par Anna Karina dans le film *Pierrot le Fou*.

La Non-demande en mariage

Paroles et musique de Georges Brassens

Ma mie, de grâce, ne mettons
Pas sous la gorge à Cupidon
Sa propre flèche
Tant d'amoureux l'ont essayé
Qui, de leur bonheur, ont payé
Ce sacrilège...

J'ai l'honneur de
Ne pas te de-
mander ta main
Ne gravons pas
Nos noms au bas
D'un parchemin

Laissons le champ libre à l'oiseau
Nous serons tous les deux priso-
nniers sur parole
Au diable les maîtresses queux
Qui attachent les cœurs aux queues
Des casseroles !

J'ai l'honneur de
Ne pas te de-
mander ta main
Ne gravons pas
Nos noms au bas
D'un parchemin

Vénus se fait vieille souvent
Elle perd son latin devant
La lèchefrite
À aucun prix, moi je ne veux
Effeuiller dans le pot-au-feu
La marguerite

J'ai l'honneur de
Ne pas te de-
mander ta main
Ne gravons pas
Nos noms au bas
D'un parchemin

On leur ôte bien des attraits
En dévoilant trop les secrets
De Mélusine
L'encre des billets doux pâlit
Vite entre les feuillets des li-
vres de cuisine.

J'ai l'honneur de
Ne pas te de-
mander ta main
Ne gravons pas
Nos noms au bas
D'un parchemin

Il peut sembler de tout repos
De mettre à l'ombre, au fond d'un pot
De confiture
La jolie pomme défendue
Mais elle est cuite, elle a perdu
Son goût « nature »

J'ai l'honneur de
Ne pas te de-
mander ta main
Ne gravons pas
Nos noms au bas
D'un parchemin

De servante n'ai pas besoin
Et du ménage et de ses soins
Je te dispense
Qu'en éternelle fiancée
À la dame de mes pensées
Toujours je pense

J'ai l'honneur de
Ne pas te de-
mander ta main
Ne gravons pas
Nos noms au bas
D'un parchemin

Cet hymne à la tendresse et l'attachement qui transcende toutes les vicissitudes de la vie peut aussi se prêter à une lecture différente, sur la difficulté des relations amoureuses et le non-accomplissement de l'amour. Créée par Jacques Brel en 1967, cette chanson est devenue un fleuron du répertoire de Juliette Gréco.

La Chanson des vieux amants

Paroles de Jacques Brel
Musique de Jacques Brel et Gérard Jouannest

Bien sûr, nous eûmes des orages
Vingt ans d'amour, c'est l'amour fol
Mille fois tu pris ton bagage
Mille fois je pris mon envol
Et chaque meuble se souvient
Dans cette chambre sans berceau
Des éclats des vieilles tempêtes
Plus rien ne ressemblait à rien
Tu avais perdu le goût de l'eau
Et moi celui de la conquête

Mais mon amour
Mon doux mon tendre mon merveilleux amour
De l'aube claire jusqu'à la fin du jour
Je t'aime encore tu sais je t'aime

Moi, je sais tous tes sortilèges
Tu sais tous mes envoûtements
Tu m'as gardé de pièges en pièges
Je t'ai perdue de temps en temps
Bien sûr tu pris quelques amants
Il fallait bien passer le temps
Il faut bien que le corps exulte
Finalement finalement
Il nous fallut bien du talent
Pour être vieux sans être adultes

Oh, mon amour
Mon doux mon tendre mon merveilleux amour
De l'aube claire jusqu'à la fin du jour
Je t'aime encore, tu sais, je t'aime

Et plus le temps nous fait cortège
Et plus le temps nous fait tourment
Mais n'est-ce pas le pire piège
Que vivre en paix pour des amants
Bien sûr tu pleures un peu moins tôt
Je me déchire un peu plus tard
Nous protégeons moins nos mystères
On laisse moins faire le hasard
On se méfie du fil de l'eau
Mais c'est toujours la tendre guerre

Oh, mon amour...
Mon doux mon tendre mon merveilleux amour
De l'aube claire jusqu'à la fin du jour
Je t'aime encore tu sais je t'aime.

Écrite par Édith Piaf en 1949 avec son inséparable amie compositrice Marguerite Monnot, cette chanson paroxystique et mystique restera à jamais associée au destin tragique de son amant d'alors, le champion de boxe Marcel Cerdan : le 28 octobre, alors qu'il allait la retrouver à New York, il mourut dans un accident d'avion au-dessus des Açores. Le soir même, au cabaret *Le Versailles*, Piaf était bouleversée en interprétant son hymne en hommage à Marcel et s'évanouit.

Hymne à l'amour

Paroles d'Édith Piaf
Musique de Marguerite Monnot

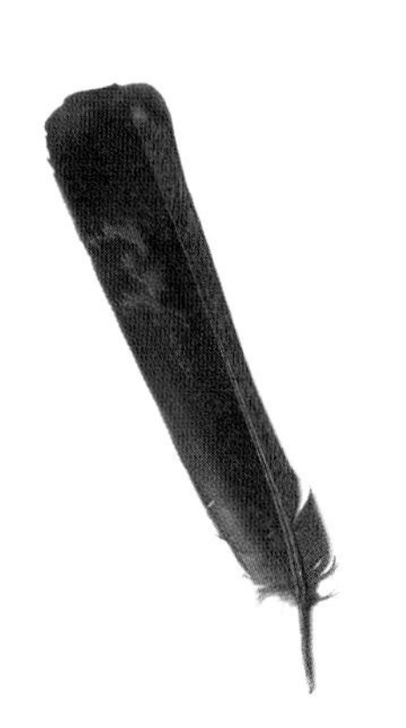

Le ciel bleu sur nous peut s'effondrer
Et la terre peut bien s'écrouler
Peu m'importe si tu m'aimes
Je me fous du monde entier
Tant qu'l'amour inond'ra mes matins
Tant que mon corps frémira sous tes mains
Peu m'importe les problèmes
Mon amour puisque tu m'aimes

J'irais jusqu'au bout du monde
Je me ferais teindre en blonde
Si tu me le demandais
J'irais décrocher la lune
J'irais voler la fortune
Si tu me le demandais
Je renierais ma patrie
Je renierais mes amis
Si tu me le demandais
On peut bien rire de moi
Je ferais n'importe quoi
Si tu me le demandais

Si un jour la vie t'arrache à moi
Si tu meurs que tu sois loin de moi
Peu m'importe si tu m'aimes
Car moi je mourrai aussi
Nous aurons pour nous l'éternité
Dans le bleu de toute l'immensité
Dans le ciel plus de problèmes
Mon amour crois-tu qu'on s'aime

Dieu réunit ceux qui s'aiment...

L'ivresse

Belle qui tiens ma vie

Paroles et musique de Thoinot Arbeau

Belle qui tiens ma vie
Captive dans tes yeux
Qui m'as l'âme ravie
D'un sourire gracieux,
Viens tôt me secourir
Ou me faudra mourir. *(bis)*

Pourquoi fuis-tu, mignarde,
Si je suis près de toi
Quand tes yeux je regarde
Je me perds dedans moi
Car tes perfections
Changent mes actions.

Tes beautés et ta grâce
Et tes divins propos
Ont échauffé la glace
Qui me gelait les os
Et ont rempli mon cœur
D'une amoureuse ardeur.

Mon âme voulait être
Libre de passions
Mais amour s'est fait maître
De mes affections,
Et a mis sous sa loi
Et mon cœur et ma foi

Approche donc ma belle
Approche-toi mon bien
Ne me sois plus rebelle
Puisque mon cœur est tien.
Pour mon mal apaiser
Donne-moi un baiser. *(bis)*

Je meurs, mon angelette,
Je meurs en te baisant
Ta bouche tant doucette
Va mon bien ravissant
À ce coup mes esprits
Sont tous d'amour épris.

Plutôt on verra l'onde
Contre mont reculer,
Et plutôt l'œil du monde
Cessera de brûler,
Que l'amour qui m'époint
Decroisse d'un seul point.

Cette pavane du XVIe siècle a été utilisée
au XIXe par Léo Delibes dans la scène du bal
du *Roi s'amuse*.

Que ne suis-je la fougère

Paroles de Riboutté, musique d'Antoine Albanèse

Cette bergerette d'Albanèse, composée vers 1770 et attribuée à tort à Pergolèse, figure au répertoire de nombreuses sopranos. Mady Mesplé en a donné un bel enregistrement dans une série de bergerettes, romances et chansons du XVIIIe siècle harmonisées au XIXe par J. B. Weckerlin.

Que ne suis-je la fougère
Où sur la fin d'un beau jour
Se repose ma bergère
Sous la garde de l'amour.
Que ne suis-je le zéphyr
Qui rafraîchit ses appas,
L'air que sa bouche respire,
La fleur qui naît sous ses pas ?

Que ne suis-je l'onde pure
Qui la reçoit dans son sein ?
Que ne suis-je la parure
Qui la couvre après le bain ?
Que ne suis-je cette glace,
Où son minois répété
Offre à nos yeux une grâce
Qui sourit à la beauté ?

Que ne puis-je, par un songe,
Tenir son cœur enchanté !
Que ne puis-je du mensonge
Passer à la vérité ?
Les dieux qui m'ont donné l'être
M'ont fait trop ambitieux,
Car enfin je voudrais être
Tout ce qui plaît à ses yeux !

Bouton de rose

Paroles de Constance de Theis
Musique de Louis Pradher

Bouton de rose,
Tu viens à peine de fleurir,
Et déjà tu meurs près de Rose...
Telle est l'image du plaisir,
Bouton de rose.

Bouton de rose,
Tu seras plus heureux que moi ;
Car je te destine à ma Rose,
Et ma Rose est, ainsi que toi,
Bouton de rose.

Au sein de Rose,
Heureux bouton, tu vas mourir !
Moi, si j'étais bouton de rose,
Je ne mourrais que de plaisir
Au sein de Rose.

Au sein de Rose
Tu pourras trouver un rival ;
Ne joute pas, bouton de rose.
Car en beauté rien n'est égal
Au sein de Rose.

Bouton de rose,
Adieu, Rose vient, je la vois :
S'il est une métempsycose,
Grands dieux ! par pitié rendez-moi
Bouton de rose.

Ce poème fut écrit vers 1785 et publié en 1788 dans *L'Almanach des grâces*. Pouvant se chanter sur l'air de *Pour la baronne*. Il est dû à une jeune fille nommée Constance de Théis, qui devint plus tard, lors d'un second mariage, la princesse de Salm. Un nouvel air fut composé vers 1800 par Pradher père (professeur de piano au Conservatoire) et connut un vrai succès populaire. Les paroles de cette chanson sont à double sens, avec une valeur érotique à peine voilée, le « bouton » désignant depuis le XVIIe siècle le clitoris.

Stances à Manon

Paroles de Maurice Boukay, musique de Paul Delmet

Paul Delmet, compositeur-interprète habitué du cabaret *Le Chat noir*, a signé de nombreuses mélodies entre 1890 et 1900, mais son nom a trop souvent éclipsé ceux de ses paroliers. Pour cette romance créée en 1893, le texte est dû à Maurice Boukay (pseudonyme de Coubya), qui deviendra député, puis ministre. Il a publié en 1896 le recueil engagé des *Chansons rouges* mises en musique par Marcel-Legay.

Manon, voici le soleil,
C'est le Printemps, c'est l'éveil
C'est l'Amour, maître des choses...
C'est le nid dans le buisson
Viens éprouver le frisson
Du bleu, de l'or et des roses.

Laisse-moi dans tes grands yeux
Goûter l'infini des cieux
Et l'ivresse de ton âme...
Laisse-moi dans tes bras blancs
Bercer mes rêves troublants
Et mon désir qui se pâme...

Verse, verse tes baisers
À mes sens inapaisés,
Jusqu'à la dernière goutte...
J'aime ton cœur inhumain,
Tu me trahiras demain,
Mais ce soir, je t'aurai toute!

Qu'importent les trahisons
Des lèvres que nous baisons
Si les lèvres sont jolies!...
Oublions les vains discours,
Aimons-nous, les jours sont courts
Et c'est l'heure des folies.

D'une sensualité érotique et provocante jusqu'alors inusitée dans la chanson, cette œuvre de 1967 accompagne la révolution des mœurs à l'œuvre dans cette fin des années 1960. Elle précède le succès mondial de *Je t'aime moi non plus*, chanson plus qu'érotique, écrite la même année par Serge Gainsbourg pour Brigitte Bardot, mais lancée seulement avec Jane Birkin en 1969.

éshabillez-moi

Paroles de Robert Nyel
Musique de Gaby Verlor

Déshabillez-moi, déshabillez-moi
Oui, mais pas tout de suite, pas trop vite
Sachez me convoiter, me désirer, me captiver
Déshabillez-moi, déshabillez-moi
Mais ne soyez pas comme tous les hommes, trop pressés.
Et d'abord, le regard
Tout le temps du prélude
Ne doit pas être rude, ni hagard
Dévorez-moi des yeux
Mais avec retenue
Pour que je m'habitue, peu à peu...

Déshabillez-moi, déshabillez-moi
Oui, mais pas tout de suite, pas trop vite
Sachez m'hypnotiser, m'envelopper, me capturer
Déshabillez-moi, déshabillez-moi
Avec délicatesse, en souplesse, et doigté
Choisissez bien les mots
Dirigez bien vos gestes
Ni trop lents, ni trop lestes, sur ma peau
Voilà, ça y est, je suis
Frémissante et offerte
De votre main experte, allez-y...

Déshabillez-moi, déshabillez-moi
Maintenant tout de suite, allez vite
Sachez me posséder, me consommer, me consumer
Déshabillez-moi, déshabillez-moi
Conduisez-vous en homme
Soyez l'homme... Agissez!
Déshabillez-moi, déshabillez-moi
Et vous... déshabillez-vous!

Retiens la nuit

Paroles de Charles Aznavour
Musique de Georges Garvarentz

Cette ballade-rock est interprétée en 1961 dans le film *Les Parisiennes* à la manière d'Elvis Presley par Johnny Hallyday, la guitare contre le cœur, à Catherine Deneuve déjà séduite. Auteur de cette chanson, Charles Aznavour a toujours su aider les idoles qui en retour le respectent. Il est ainsi un des rares chanteurs de l'ancienne génération à ne pas avoir vu sa popularité baisser au cours des années 1960.

Retiens la nuit
Pour nous deux jusqu'à la fin du monde
Retiens la nuit
Pour nos cœurs dans sa course vagabonde
Serre-moi fort
Contre ton corps
Il faut qu'à l'heure des folies
Le grand amour
Raye le jour
Et me fasse oublier la vie

Retiens la nuit
Avec toi elle paraît si belle
Retiens la nuit
Mon amour qu'elle devienne éternelle
Pour le bonheur
De nos deux cœurs
Arrête le temps et les heures
Je t'en supplie
À l'infini
Retiens la nuit

Ne me demande pas d'où me vient ma tristesse
Ne me demande rien, tu ne comprendrais pas
En découvrant l'amour je frôle la détresse
En croyant au bonheur la peur entre en mes joies

Retiens la nuit...

Le rossignol n'a pas encore chanté

Paroles de Gaston Villemer
Musique de Lucien Collin

Cette sérénade a été créée au café-concert par Debailleul en 1879. Les paroles sont signées Gaston Villemer, qui formait habituellement un tandem avec Lucien Delormel. Tous deux fournissaient la plupart des vedettes en couplets divers, symbolisant l'état de la France après la guerre de 1870 et exploitant fréquemment la veine de l'esprit de revanche sur les Allemands.

La lune vient à peine
De quitter l'horizon,
Reste encor, mon Hélène,
Reste sur ton balcon.
Mon cœur tout seul frissonne
Par cette nuit d'été,
Le rossignol, mignonne,
N'a pas encor chanté.

Brune jolie
Ô mon amie
Ô mon amie
Ce n'est pas l'heure des adieux
Laisse-moi vivre
Que je m'enivre
Que je m'enivre
Encor encor dans tes yeux bleus

Dans son nid plein de mousse
S'endort chaque pinson,
Dis-moi de ta voix douce
Encore une chanson.
Entends minuit qui sonne
Par l'écho répété,
Le rossignol, mignonne,
N'a pas encore chanté.

Brune jolie
Ô mon amie
Ô mon amie
Ce n'est pas l'heure des adieux
Laisse-moi vivre
Que je m'enivre
Que je m'enivre
Encor encor dans tes yeux bleus

Regarde : les étoiles
Dans leur écrin d'azur
Ont déchiré leurs voiles
Pour voir ton front si pur.
Que ta lèvre me donne
Un baiser velouté,
Le rossignol, mignonne,
N'a pas encor chanté.

Brune jolie
Ô mon amie
Ô mon amie
Ce n'est pas l'heure des adieux
Laisse-moi vivre
Que je m'enivre
Que je m'enivre
Encor encor dans tes yeux bleus

Cette déclaration d'amour aux amoureux, semble-t-il inspirée par les dessins de Peynet, est écrite dans un style assez cru qui surprit le public lorsqu'il l'entendit chantée par Brassens ou par sa première interprète, Patachou. Cette chanson qui décrit l'amour comme un antidote à l'ordre établi figure parmi les premières que Brassens a enregistrées en 1952.

Les Amoureux des bancs publics

Paroles et musique de Georges Brassens

Les gens qui voient de travers
Pensent que les bancs verts
Qu'on voit sur les trottoirs
Sont faits pour les impotents ou les ventripotents
Mais c'est une absurdité
Car à la vérité
Ils sont là c'est notoir'
Pour accueillir quelque temps les amours débutants.

Les amoureux qui s'bécott'nt sur les bancs publics
Bancs publics, bancs publics
En s'foutant pas mal du regard oblique
Des passants honnêtes
Les amoureux qui s'bécott'nt sur les bancs publics
Bancs publics, bancs publics,
En s'disant des je t'aim' pathétiqu's
Ont des p'tit's gueules bien sympathiqu's.

Ils se tiennent par la main
Parlent du lendemain
Du papier bleu d'azur
Que revêtiront les murs de leur chambre à coucher.
Ils se voient déjà doucement
Ell' cousant, lui fumant,
Dans un bien-être sûr
Et choisissent les prénoms de leur premier bébé.

Les amoureux qui s'bécott'nt sur les bancs publics
Bancs publics, bancs publics
En s'foutant pas mal du regard oblique
Des passants honnêtes
Les amoureux qui s'bécott'nt sur les bancs publics
Bancs publics, bancs publics,
En s'disant des je t'aim' pathétiqu's
Ont des p'tit's gueules bien sympathiqu's.

Quand les mois auront passé
Quand seront apaisés
Leurs beaux rêves flambants
Quand leur ciel se couvrira de gros nuages lourds
Ils s'apercevront émus
Qu'c'est au hasard des rues
Sur un d'ces fameux bancs
Qu'ils ont vécu le meilleur morceau de leur amour.

Les amoureux qui s'bécott'nt sur les bancs publics
Bancs publics, bancs publics
En s'foutant pas mal du regard oblique
Des passants honnêtes
Les amoureux qui s'bécott'nt sur les bancs publics
Bancs publics, bancs publics,
En s'disant des je t'aim' pathétiqu's
Ont des p'tit's gueules bien sympathiqu's.

Les enfants qui s'aiment

Paroles de Jacques Prévert, musique de Joseph Kosma

Cette ode en une traite, très courte et sans refrain, est caractéristique des œuvres de Prévert, non soumises aux canons habituels de la chanson. Créée en 1946 par Fabien Lorris incarnant un chanteur de rues à la sortie du métro dans le film *Les Portes de la nuit*, la chanson ne fut enregistrée qu'en 1948 par Germaine Montero avec d'autres œuvres du tandem Prévert/Kosma. Représentative du réalisme poétique cher à Carné et Prévert, elle est régulièrement reprise depuis par les grands interprètes de la chanson à texte : Yves Montand, Cora Vaucaire, Mouloudji, les Frères Jacques, Juliette Gréco...

Les enfants qui s'aiment s'embrassent debout
Contre les portes de la nuit
Et les passants qui passent les désignent du doigt,
Mais les enfants qui s'aiment
Ne sont là pour personne
Et c'est seulement leur ombre

Qui tremble dans la nuit,
Excitant la rage des passants
Leur rage, leur mépris, leurs rires et leur envie.
Les enfants qui s'aiment ne sont là pour personne,
Ils sont ailleurs bien plus loin que la nuit,
Bien plus haut que le jour
Dans l'éblouissante clarté de leur premier amour.

L'auteur-compositeur-interprète canadien (mais non québécois) Daniel Lavoie commença à chanter en France en 1975. Le premier vrai succès n'arriva que dix ans plus tard avec *Ils s'aiment*, une chanson dont la mélodie est à la fois intimiste et aérienne. Son timbre de voix superbe devait attendre encore quelques années pour triompher dans la comédie musicale *Notre-Dame de Paris*.

Ils s'aiment

Paroles de Daniel Lavoie
Musique de Daniel Lavoie et Daniel Deschenes

Ils s'aiment comme avant
Avant les menaces et les grands tourments
Ils s'aiment tout hésitants
Découvrant l'amour et découvrant le temps
Y a quelqu'un qui se moque
J'entends quelqu'un qui se moque
Se moque de moi, se moque de qui ?

Ils s'aiment comme des enfants
Amour plein d'espoir impatient
Et malgré les regards
Remplis de désespoir
Malgré les statistiques
Ils s'aiment comme des enfants

Enfants de la bombe
Des catastrophes
De la menace qui gronde
Enfants du cynisme
Armés jusqu'aux dents

Ils s'aiment comme des enfants
Comme avant les menaces et les grands tourments
Et si tout doit sauter,
S'écrouler sous nos pieds
Laissons-les, laissons-les, laissons-les
Laissons-les s'aimer

Enfants de la bombe
Des catastrophes
De la menace qui gronde
Enfants du cynisme
Armés jusqu'aux dents

Ils s'aiment comme avant
Avant les menaces et les grands tourments
Ils s'aiment comme avant

Jalousie et amours contrariées

Le roi a fait battre tambour

Anonyme, XVIIe siècle

Le roi a fait battre tambour, *(bis)*
Pour voir toutes ces dames,
Et la première qu'il a vue
Lui a ravi son âme.

« Marquis, dis-moi, la connais-tu ? *(bis)*
Qui est cette jolie dame ? »
Et le marquis a répondu :
« Sire Roi, c'est ma femme... »

« Marquis, tu es plus heureux qu'moi, *(bis)*
D'avoir femme si belle !
Si tu voulais me l'accorder,
Je me chargerais d'elle.

– Sire, si vous n'étiez pas le Roi, *(bis)*
J'en tirerais vengeance !
Mais puisque vous êtes le Roi,
À votre obéissance...

– Marquis, ne te fâche donc pas ! *(bis)*
Tu auras ta récompense :
Je te ferai, dans mes armées,
Beau Maréchal de France.

Recueillie tardivement au cours du XIXe siècle, tant en France qu'au Canada, cette chanson aussi connue sous le titre *La Marquise empoisonnée* a des origines multiples, où l'on cherche à reconnaître le fait historique qui l'aurait inspirée. L'hypothèse la plus souvent retenue est rattachée à la mort en couches de Gabrielle d'Estrées, la maîtresse d'Henri IV, que Marie de Médicis (destinée à épouser le roi l'année suivante) aurait fait empoisonner en 1599. Cette complainte a été enregistrée par Yvette Guilbert, Édith Piaf, Yves Montand, Guy Béart et Cora Vaucaire.

– Adieu, ma mie, adieu, mon cœur ! (bis)
Adieu, mon espérance !
Puisqu'il te faut servir le Roi,
Séparons-nous d'ensemble. »

Le roi l'a prise par la main, *(bis)*
L'a menée dans sa chambre ;
La belle en montant les degrés
A voulu se défendre.

« Marquise, ne pleurez pas tant ! *(bis)*
Je vous ferai Princesse ;
De tout mon or et mon argent,
Vous serez la maîtresse.

– Gardez votre or ! Et votre argent *(bis)*
N'appartient qu'à la Reine ;
J'aimerais mieux mon doux Marquis
Que toutes vos richesses ! »

La reine a fait faire un bouquet *(bis)*
De belles fleurs de lys,
Et la senteur de ce bouquet
À fait mourir Marquise...

Les Tristes Noces

Anonyme, XVIIe siècle

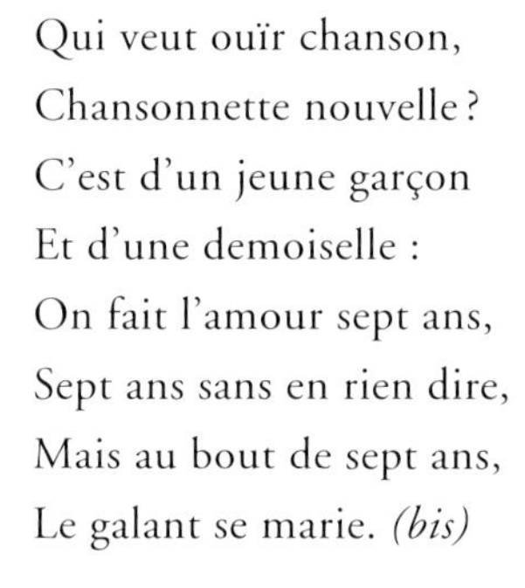

Qui veut ouïr chanson,
Chansonnette nouvelle ?
C'est d'un jeune garçon
Et d'une demoiselle :
On fait l'amour sept ans,
Sept ans sans en rien dire,
Mais au bout de sept ans,
Le galant se marie. *(bis)*

Au jardin de ma mère,
Y'a un buisson d'orties ;
En a fait un bouquet
Pour porter à sa mie :
« Tenez, ma mie, tenez :
Voici la départie ;
À une autre que vous
Mon père me marie. *(bis)*

– Celle que vous prenez
Est-elle si jolie ?
– Pas si jolie que vous,
Mais elle est bien plus riche !
La belle, en vous priant,
Viendrez-vous à mes noces ?
– Aux noces n'irai pas,
Mais j'irai à la danse. *(bis)*

– La belle, si vous venez,
Venez-y donc bien propre ! »
La belle n'y a pas manqué :
S'est fait faire trois robes.
L'une de satin blanc,
L'autre de satin rose,
Et l'autre de drap d'or,
Pour marquer qu'elle est noble. *(bis)*

Cette chanson poignante originaire de Franche-Comté a des origines anciennes qui remontent au XIIe siècle. Popularisée par Guy Béart et le groupe Malicorne, elle aborde le thème de la mal mariée, fréquent dans la chanson traditionnelle : l'amour rendu impossible en raison d'un mariage arrangé par les parents. Souvent, c'est la jeune fille qui est la victime (et se trouve en raison de son refus mise au couvent, enfermée dans une tour, ou bien fait la morte). Ici, c'est le garçon qui se voit forcé de renoncer à celle qu'il aime.

Du plus loin qu'on la voit :
« Voici la mariée !
– La mariée ne suis :
Je suis la délaissée... »
L'amant qui la salue,
La prend par sa main blanche :
La prend pour faire un tour,
Un petit tour de danse. *(bis)*

« Beau musicien français,
Toi qui joues bien les danses,
Ah, joue-moi-z-en donc une
Que ma mie puisse entendre ! »
Au premier tour qu'elle fait,
La belle tombe morte :
« Ah ! belle, levez-vous !
Voulez-vous mourir par force ? *(bis)*

Si mourez pour m'amour,
Moi je meurs pour le vôtre ! »
Il a pris son couteau,
Se le plante en les côtes ;
Les gens s'en vont disant :
« Grand Dieu ! les tristes noces !
Ah ! les pauvres enfants,
Tous deux morts d'amourette ! » (bis)

Sur la tombe du garçon,
On y mit une épine,
Sur la tombe de la belle,
On y mit une olive.
L'olive crût si haut
Qu'elle embrassa l'épine,
L'olive crût si haut
Qu'elle embrassa l'épine ! *(bis)*

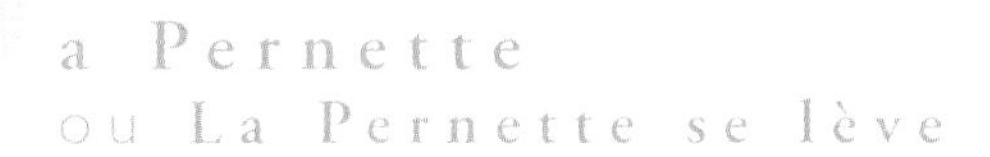

La Pernette
ou La Pernette se lève

Anonyme, XVIIIe siècle

Cette complainte traditionnelle qui possède de multiples variantes, mais dont on retrouve des traces dès le XIIe siècle, associe les thèmes cardinaux de l'amour et de la mort sous une forme à la fois lyrique et épique. Le thème de la jeune fille qui refuse un noble mariage par amour pour un prisonnier était très présent dans l'imaginaire de l'Ancien Régime. Elle a quasiment disparu de la tradition orale contemporaine, car l'essentiel de ses couplets est repris – avec moins de délicatesse – dans la chanson de marche *Ne pleure pas Jeannette.*

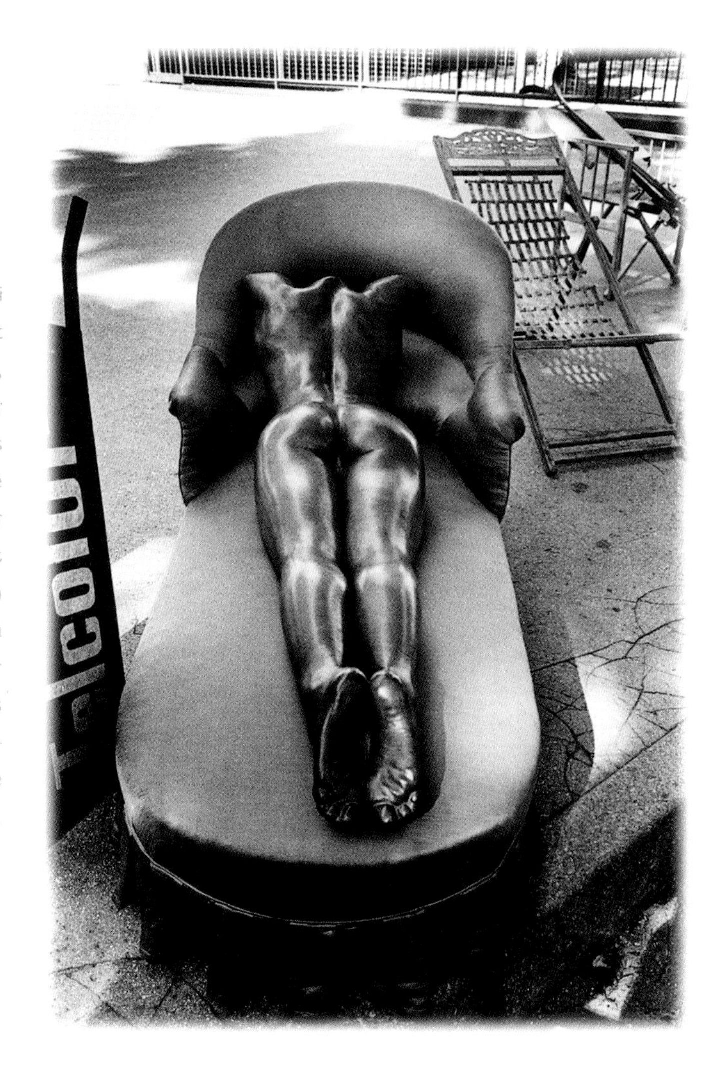

La Pernette se lève
Tra-la la la la la la la la la
La Pernette se lève
Trois heures avant le jour. *(ter)*

Elle prend sa quenouillette
Tra-la la la la la la la la la
Elle prend sa quenouillette
Avec son petit tour. *(ter)*

À chaque tour qu'elle vire
Tra-la la la la la la la la la
À chaque tour qu'elle vire
Pousse un soupir d'amour. *(ter)*

Sa mère lui demande :
Tra-la la la la la la la la la
Sa mère lui demande :
« Pernette, qu'avez-vous ? *(ter)*

Avez-vous mal de tête
Tra-la la la la la la la la la
Avez-vous mal de tête
Ou bien le mal d'amour ? *(ter)*

– N'ai pas le mal de tête
Tra-la la la la la la la la la
N'ai pas le mal de tête
Mais bien le mal d'amour. *(ter)*

– Ne pleurez pas, Pernette,
Tra-la la la la la la la la la
pleurez pas, Pernette,
Nous vous marierons, *(ter)*

Avec le fils d'un prince
Tra-la la la la la la la la la
Avec le fils d'un prince
Ou celui d'un baron. *(ter)*

– Je ne veux pas d'un prince
Tra-la la la la la la la la la
Je ne veux pas d'un prince
Ni du fils d'un baron : *(ter)*

Je veux mon ami Pierre
Tra-la la la la la la la la la
Je veux mon ami Pierre
Qui est dans la prison. *(ter)*

– Tu n'auras pas ton Pierre,
Tra-la la la la la la la la la
Tu n'auras pas ton Pierre,
Nous le pendoulerons. *(ter)*

– Si vous pendoulez Pierre,
Tra-la la la la la la la la la
Si vous pendoulez Pierre,
Pendoulez-moi aussi. *(ter)*

Au chemin de Saint-Jacques,
Tra-la la la la la la la la la
Au chemin de Saint-Jacques,
Enterrez-nous tous deux. *(ter)*

Couvrez Pierre de roses
Tra-la la la la la la la la la
Couvrez Pierre de roses
Et moi de mille fleurs. *(ter)*

Les pèlerins qui passent
Tra-la la la la la la la la la
Les pèlerins qui passent
Se mettront à genoux, *(ter)*

Diront : "Que Dieu ait l'âme"
Tra-la la la la la la la la la
Diront : "Que Dieu ait l'âme
Des pauvres amoureux ; *(ter)*

L'un pour l'amour de l'autre,
Tra-la la la la la la la la la
L'un pour l'amour de l'autre,
Ils sont morts tous les deux." » *(ter)*

La Chanson du capitaine
ou Soldat par chagrin

Anonyme, fin du XVIIe siècle

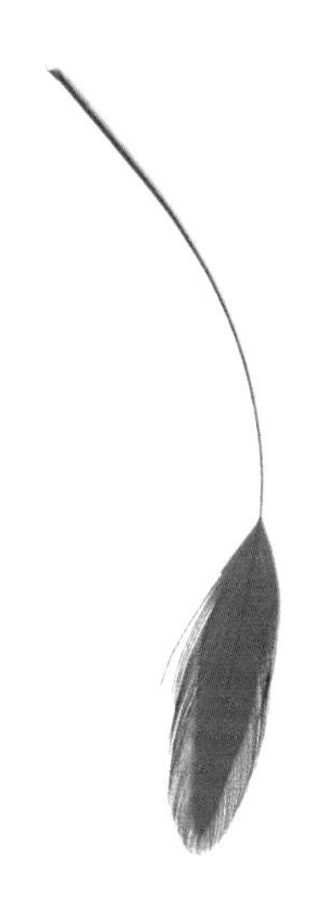

D'abord chantée avec sentiment puis devenue un refrain de garnison, cette chanson populaire connue dans toutes les provinces de France (parfois sous le titre de *Soldat par chagrin* ou de *Je me suis-t-engagé*) date sans doute de la fin du XVIIe siècle. Popularisée au café-concert par Darcier vers 1860, elle n'a été enregistrée qu'à partir des années 1950 par Yves Montand, Mouloudji, Serge Kerval, Marc Ogeret, Guy Béart...

Je me suis t'engagé
Pour l'amour d'une blonde,
C'est pas pour un baiser
Qu'elle m'a refusé ;
C'est pour son anneau d'or
Qu'ell' me refuse encor !

Je me suis t'engagé
Dans l'régiment de France.
Là où que j'ai logé,
On m'y a conseillé
De prendre mon congé
Par-dessous mon soulier !

Dans mon chemin faisant,
Je trouv' mon capitaine,
Mon capitain' me dit :
« Où vas-tu, Sans-souci ?
– Je vais dans ce vallon
Rejoindr' mon bataillon.

– Tu vas dans le vallon.
Moi, je viens d'chez ta blonde
Qu'ell' m'a donné sa foi,
Qu'ell' n'aimera que moi ;
Tiens, voilà son anneau
Qu'ell' m'en a fait cadeau. »

Auprès de ce vallon
Coule claire fontaine.
J'ai mis mon habit bas,
Mon sabre au bout d'mon bras,
Et je m'suis battu là
Comme un vaillant soldat.

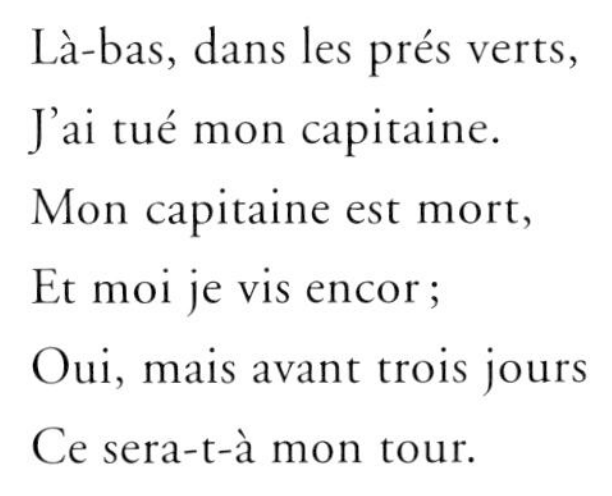

Là-bas, dans les prés verts,
J'ai tué mon capitaine.
Mon capitaine est mort,
Et moi je vis encor ;
Oui, mais avant trois jours
Ce sera-t-à mon tour.

Celui qui me tuera
Sera mon camarade.
Il me band'ra les yeux
Avec son mouchoir bleu,
Et me fera mourir
Sans me faire souffrir.

Que l'on mette mon cœur
Dans un' serviette blanche ;
Qu'on l'envoie au pays,
Dans la maison d'ma mie,
Disant : voici le cœur
De votre serviteur.

Soldats de mon pays,
Ne l'dites pas à ma mère ;
Mais dites-lui plutôt
Que je suis à Bordeaux.
Pris par les Hollandais
Qu'ell' n'me r'verra jamais.

Les Anneaux de Marianson

Anonyme, XVIe siècle

Cette légende originaire de Normandie enregistrée par Yvette Guilbert est d'inspiration très proche de la célèbre *Complainte du Roi Renaud*. De mélodie incertaine car recueillie trop tardivement, le sujet de cette complainte a inspiré de nombreux auteurs de littérature.

« Marianson, dame gentil,
Où est allé votre mari ? *(bis)*

– Il y a bien six mois et demi
Que Renaud est dedans Paris. *(bis)*

– Puisque Renaud n'est plus ici,
Il vous faut faire un autre ami. *(bis)*

– Non, si longtemps que je vivrai,
Autre que Renaud n'aimerai. *(bis)*

– Marianson, dame gentil,
Prêtez-moi vos anneaux jolis ; *(bis)*

Prêtez-moi vos anneaux de doigt
Que j'en fasse pareils pour moi. *(bis)*

Je vous jure, sur ma foi,
Personne ne le saura que moi. » *(bis)*

Marianson, mal avisée,
Ses trois anneaux lui a prêtés. *(bis)*

Quand les anneaux elle eut donnés,
Chez l'argentier s'en est allé : *(bis)*

« Bonjour, bonjour, bel argentier,
Prends-moi ces trois anneaux dorés ; *(bis)*

Je te les donne à mon coucher,
Fais-m'en pareils pour mon lever ; *(bis)*

Fais-les de la même façon
Comme ceux de Marianson. » *(bis)*

Pendant qu'il tapait sur son or,
Le dorurier gémissait fort : *(bis)*

« Les anneaux d'or que fais ici,
Peut-être un jour feront mourir ! » *(bis)*

Quand il tint les anneaux dorés,
Droit à Paris s'en est allé. *(bis)*

Qui trouva-t-il sur le pavé ?
Ce fut Renaud le premier : *(bis)*

« Oh ! Dieu te garde, franc chevalier,
Quelles nouvelles m'as apportées ? *(bis)*

– Ta femme est accouchée d'un fils :
De moi elle a fait son ami. *(bis)*

– T'en as menti, franc chevalier,
Ma femme m'est fidèle assez. *(bis)*

– Que tu le croies ou le décroies,
Voilà les anneaux de ses doigts ! » *(bis)*

Quand il a vu la vérité,
Contre terre s'est jeté ; *(bis)*

Il y fut trois jours et trois nuits,
Sans boire, manger, ni dormir. *(bis)*

Au bout de trois jours et trois nuits,
Sur son cheval il remontit ; *(bis)*

N'allait pas comme homme de sens :
Il allait comme poudre et vent. *(bis)*

Sa mère était sur les créneaux
Qui avisait de loin Renaud : *(bis)*

« Marianson, dame gentil,
Voici venir votre mari. *(bis)*

Il ne vient pas en homme aimé,
Il vient en foudre courroucé. *(bis)*

– Ma mère, montrez-lui son fils,
Cela pourra le réjouir. *(bis)*

– Or, tiens, Renaud, voilà ton fils :
Quel nom lui donneras-tu, mon fils ? *(bis)*

– À l'enfant, je lui donne un nom,
À la mère, un mauvais renom. » *(bis)*

Il prend l'enfant par le maillot,
Il le jette contre le carreau ; *(bis)*

Prend sa femme par les cheveux,
À la queue du cheval la noeue. *(bis)*

Depuis les portes de Paris,
Jusqu'aux portes de Saint-Denis, *(bis)*

N'y avait brousse ni buisson
Qui n'eût sang de Marianson : *(bis)*

« Renaud, Renaud, mon doux ami,
Pour Dieu, arrêtons-nous ici ! *(bis)*

– N'est-ce pas pour toi, franche putain,
C'est pour mon cheval qui a faim. *(bis)*

Dis-moi, dis-moi, franche putain,
Où sont les anneaux de ta main ? *(bis)*

– Sont dans le coffre au pied du lit,
Voilà la clef pour les quérir. *(bis)*

– Marianson, dame gentil,
Pourquoi ne me l'as-tu pas dit ? *(bis)*

– Renaud, Renaud, mon doux ami,
M'en avez-vous donné loisir ? *(bis)*

– N'est-il barbier ni médecin
Qui puisse mettre ton corps sain ? *(bis)*

– Il n'est barbier, ni médecin
Qui puisse mettre mon corps sain. *(bis)*

– Marianson, dame gentil,
Que te faut-il pour te guérir ? *(bis)*

– Ne faut qu'une aiguille et du fil,
Et un drap pour m'ensevelir. *(bis)*

– Marianson, dame gentil,
Pardonnez à votre mari. *(bis)*

– Oui, ma mort lui est pardonnée,
Mais non celle du nouveau-né. » *(bis)*

Corbleu Marion !
ou Qu'allais-tu faire à la fontaine ?

Anonyme, XVIIIe siècle

Également connue sous le titre *Morbleu Marion*, cette chanson traditionnelle originaire du Midi, écrite sur le thème de la mal mariée, évoque un drame de la jalousie. Sa mélodie a été utilisée par Favart en 1759 dans sa parodie d'*Hippolyte et Aricie* de Rameau. Chantée en duo, elle a suscité plusieurs enregistrements dans la première moitié du XXe siècle (comme celui de Madeleine Renaud et Pierre Bertin en 1937).

« Qu'allais-tu faire à la fontaine,
Corbleu, Marion !
Qu'allais-tu faire à la fontaine ?
– J'étais allée quérir de l'eau,
Mon Dieu, mon ami,
Quérir de l'eau à la fontaine.

– Mais qui donc alors te parlait ?
Corbleu, Marion !
Qui te parlait à la fontaine ?
– C'était la fille à notr' voisine,
Mon Dieu, mon ami,
C'était la fille à notr' voisine.

– Les femm's ne port' pas de culottes,
Corbleu, Marion !
Les femm's ne port' pas de culottes.
– C'était sa jupe entortillée,
Mon Dieu, mon ami,
C'était sa jupe entortillée.

– Les femm's ne portent pas d'épée,
Corbleu, Marion !
Les femm's ne portent pas d'épée.
– C'était sa quenouille qui pendait,
Mon Dieu, mon ami,
Sous son bras, c'était sa quenouille.

– Les femmes ne portent pas d'moustache,
Corbleu, Marion !
Les femm's ne portent pas d'moustache.
– C'était des mûres qu'elle mangeait,
Mon Dieu, mon ami
La voisine mangeait des mûres !

– Le mois de mai n'porte pas d'mûres,
Corbleu, Marion !
Le mois de mai n'porte pas d'mûres.
– C'était une branch' de l'automne,
Mon Dieu, mon ami
C'était une branch' de l'automne.

– Va m'en quérir une assiettée,
Corbleu, Marion !
Va m'en quérir une assiettée.
– Les p'tits oiseaux ont tout mangé,
Mon Dieu, mon ami,
Ils ont mangé toutes les mûres.

– Alors je te coup'rai la tête,
Corbleu, Marion !
Alors je te coup'rai la tête !
– Et puis, que ferez-vous du reste,
Mon Dieu, mon ami,
Et puis, que ferez-vous du reste ? »

Comme un p'tit coquelicot

Paroles de Raymond Asso, musique de Claude Valéry

Raymond Asso et son épouse, la pianiste Claude Valéry, ont composé cette chanson dans le Midi en 1951, puis l'ont proposée à Yves Montand ainsi qu'au jeune Mouloudji sur les conseils de Patachou. Ce dernier, déjà révélé par le cinéma mais peu connu comme chanteur, se l'appropria sur les scènes de cabaret où il faisait ses débuts. Son succès l'obligea à enregistrer d'urgence le disque qui sortit peu après chez Philips et passa beaucoup sur les radios. Construite comme un dialogue à trois temps (« Je l'aimais, il était jaloux, il l'a tuée »), cette chanson d'amour romanesque et tragique doit aussi sa popularité au fait d'avoir repris en mineur la mélodie du refrain populaire de la comptine *Gentil Coquelicot*.

Le myosotis, et puis la rose,
Ce sont des fleurs qui dis'nt quèqu' chose !
Mais pour aimer les coqu'licots
Et n'aimer qu'ça... faut être idiot !
T'as p't'êtr' raison ! seul'ment voilà :
Quand j't'aurai dit, tu comprendras !
La premièr' fois que je l'ai vue,
Elle dormait, à moitié nue
Dans la lumière de l'été
Au beau milieu d'un champ de blé.
Et sous le corsag' blanc,
Là où battait son cœur,
Le soleil, gentiment,
Faisait vivre une fleur :
Comme un p'tit coqu'licot, mon âme !
Comme un p'tit coqu'licot.

C'est très curieux comm' tes yeux brillent
En te rapp'lant la jolie fille !
Ils brill'nt si fort qu'c'est un peu trop
Pour expliquer... les coqu'licots !
T'as p't'êtr' raison ! seul'ment voilà
Quand je l'ai prise dans mes bras,
Elle m'a donné son beau sourire,
Et puis après, sans rien nous dire,
Dans la lumière de l'été
On s'est aimé !... on s'est aimé !
Et j'ai tant appuyé
Mes lèvres sur son cœur,
Qu'à la plac' du baiser
Y avait comm' une fleur :
Comme un p'tit coqu'licot, mon âme !
Comme un p'tit coqu'licot.

Ça n'est rien d'autr' qu'un'aventure
Ta p'tit' histoire, et je te jure
Qu'ell' ne mérit' pas un sanglot
Ni cett' passion... des coqu'licots !
Attends la fin ! tu comprendras :
Un autr' l'aimait qu'ell' n'aimait pas !
Et le lend'main, quand j'lai revue,
Elle dormait, à moitié nue,
Dans la lumière de l'été
Au beau milieu du champ de blé.
Mais, sur le corsag' blanc,
Juste à la plac' du cœur,
Y avait trois goutt's de sang
Qui faisaient comm' un' fleur :
Comm' un p'tit coqu'licot, mon âme !
Un tout p'tit coqu'licot.

La Complainte des infidèles

Paroles de Carlo Rim, musique de Georges Van Parys

Bonnes gens
Écoutez la triste ritournelle
Des amants errants
En proie à leurs tourments
Parce qu'ils ont aimé
Des femmes infidèles
Qui les ont trompés
Ignominieusement
Méfiez-vous, femmes cruelles
Qu'on vous en fasse tout autant
La douleur n'est pas éternelle
Même chez le meilleur des amants
Vaincues par vos propres armes,
Vous connaîtrez à votre tour
Et le désespoir et les larmes
De la jalousie et de l'amour

Cœur pour cœur,
Dent pour dent,
Telle est la loi des amants,
Cœur pour cœur,
Dent pour dent,
Telle est la loi des amants.

Bonnes gens,
C'est le refrain des filles cruelles
Sans foi, ni serment
Trompées par leurs amants,
Parce qu'ils ont aimé
Des femmes infidèles,
Ils se sont vengés
Victorieusement
Ah ! souffrez mes tourterelles
Vous voici en peine d'amant ;
Des inquiétudes mortelles,
C'est vous qui connaîtrez le tourment,
Répandez vos jolies larmes
Oui, pleurez, c'est bien votre tour,
Vous avez dû rendre vos armes
Et l'amour est mort, vive l'amour !

Cœur pour cœur,
Dent pour dent,
Telle est la loi des amants,
Cœur pour cœur,
Dent pour dent,
Telle est la loi des amants.

Cette complainte est interprétée en 1951 par Mouloudji, qui incarne un chanteur de rues à l'orgue de Barbarie dans le film de Carlo Rim *La Maison Bonnadieu*, chronique familiale du début du XXe siècle. Cette chanson à la dialectique un peu lourde sur la fierté outragée est surtout restée célèbre grâce à la musique de Georges Van Parys, que l'on a fini par surnommer « l'Homme des complaintes », et à ses nombreux enregistrements : Mouloudji, Danielle Darrieux, Jacqueline François, Catherine Sauvage...

Toutes les fins

Je suis venu te dire que je m'en vais

Paroles et musique de Serge Gainsbourg

Chanson écrite en 1973 par un Serge Gainsbourg sortant tout juste d'un infarctus, en hommage à la *Chanson d'automne* de Verlaine. Les sanglots qui marquent le tempo sur l'enregistrement sont ceux de Jane Birkin enregistrés sur le vif dans l'intimité d'une crise de nerfs ! La chanson a été reprise en 1981 par la chanteuse belge Jo Lemaire, puis par de nombreux interprètes : Jean-Louis Aubert, Salif Keita et surtout par Jane Birkin peu après la mort de Serge. Elle a même été chantée en anglais par Mike Harvey.

Je suis venu te dir' que je m'en vais
Et tes larmes n'y pourront rien changer
Comm'dit si bien Verlaine « au vent mauvais »
Je suis venu te dir'que je m'en vais
Tu t'souviens des jours anciens et tu pleures
Tu suffoques, tu blêmis à présent qu'a sonné l'heure
Des adieux à jamais
Oui je suis au regret
D'te dir'que je m'en vais
Oui je t'aimais, oui, mais...
Je suis venu te dir'que je m'en vais
Tes sanglots longs n'y pourront rien changer
Comm'dit si bien Verlaine « au vent mauvais »
Je suis venu te dir'que je m'en vais
Tu t'souviens des jours heureux et tu pleures
Tu sanglotes, tu gémis à présent qu'a sonné l'heure
Des adieux à jamais
Oui je suis au regret
D'te dir'que je m'en vais
Car tu m'en as trop fait...

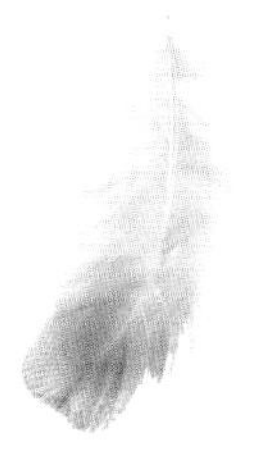

Je suis venu te dir'que je m'en vais
Et tes larmes n'y pourront rien changer
Comm'dit si bien Verlaine « au vent mauvais »
Tu t'souviens des jours anciens et tu pleures
Tu suffoques, tu blêmis à présent qu'a sonné l'heure
Des adieux à jamais
Oui je suis au regret
D'te dir'que je m'en vais
Oui je t'aimais, oui, mais...
Je suis venu te dir'que je m'en vais
Tes sanglots longs n'y pourront rien changer
Comm'dit si bien Verlaine « au vent mauvais »
Je suis venu te dir'que je m'en vais
Tu t'souviens des jours heureux et tu pleures
Tu sanglotes, tu gémis à présent qu'a sonné l'heure
Des adieux à jamais
Oui je suis au regret
D'te dir'que je m'en vais
Car tu m'en as trop fait

Il ne faut pas briser un rêve

Paroles et musique de Jean Jal

Depuis le jour où je vous aime,
Mon cœur est sans espoir...
Malgré votre sourire même,
Tout est las, triste et noir...
Pourtant un jour, dans un baiser...
Vous m'avez promis de m'aimer...

Il ne faut pas briser un rêve
Même s'il vous semble un peu fou,
Tâchez donc que le mien s'achève,
Puisqu'il est plein de vous...
Déjà,
Me blottissant dans vos bras,
Je sens,
Que votre étreinte me ment...
Il ne faut pas briser un rêve,
Même s'il vous semble un peu fou,
Tâchez donc que le mien s'achève,
Puisqu'il est plein de vous.

Mais en amour, comme en la vie
Il ne faut rien prévoir...
Car tout s'efface, tout s'oublie...
Malgré nos désespoirs...
Votre cœur peut souffrir un jour
Au souvenir de notre amour

Il ne faut pas briser un rêve
Même s'il vous semble un peu fou,
Tâchez donc que le mien s'achève,
Puisqu'il est plein de vous...
Déjà,
Me blottissant dans vos bras,
Je sens,
Que votre étreinte me ment...
Il ne faut pas briser un rêve,
Même s'il vous semble un peu fou,
Tâchez donc que le mien s'achève,
Puisqu'il est plein de vous.

Avec cette chanson et *Vous qui passez sans me voir*, Jean Sablon conforta en 1936 son statut de crooner français. Il les enregistra peu avant son départ pour les États-Unis et inaugura au même moment sur une scène parisienne l'usage du micro, accueilli par de perfides mises en boîte de la part des chansonniers. En faisant de Jean Sablon « le Chanteur sans voix », ils sont passés à côté d'une révolution dans le monde de la chanson : le micro lui permettait d'amplifier les nuances, d'obtenir des sonorités proches de celles que les auditeurs pouvaient entendre chez eux à la radio ou sur les disques.

Ne me quitte pas

Paroles et musique de Jacques Brel

Cette plainte autobiographique et quelque peu masochiste, écrite par Jacques Brel lors d'une tournée fin 1958, restera comme l'un de ses chefs-d'œuvre. Le premier enregistrement, début 1959, est dû à Simone Langlois, tandis que Brel attendit la fin de l'année pour la graver avec une harmonisation de François Rauber. Parmi de multiples interprétations (dont certaines en anglais sous le titre *If You Go Away*), se détache celle de la chanteuse de jazz Nina Simone en 1966. Plus récemment, Johnny Hallyday en a donné une version bouleversante sur la scène du Zénith et Yuri Buenaventura une version salsa très réussie.

Ne me quitte pas
Il faut oublier
Tout peut s'oublier
Qui s'enfuit déjà
Oublier le temps
Des malentendus
Et le temps perdu
À savoir comment
Oublier ces heures
Qui tuaient parfois
À coups de pourquoi
Le cœur du bonheur

Ne me quitte pas
Ne me quitte pas
Ne me quitte pas
Ne me quitte pas

Moi je t'offrirai
Des perles de pluie
Venues de pays
Où il ne pleut pas
Je creuserai la terre
Jusqu'après ma mort
Pour couvrir ton corps
D'or et de lumière
Je ferai un domaine
Où l'amour sera roi
Où l'amour sera loi
Où tu seras reine

Ne me quitte pas
Ne me quitte pas
Ne me quitte pas
Ne me quitte pas

Ne me quitte pas
Je t'inventerai
Des mots insensés
Que tu comprendras
Je te parlerai
De ces amants-là
Qui ont vu deux fois
Leurs cœurs s'embraser
Je te raconterai
L'histoire de ce roi
Mort de n'avoir pas
Pu te rencontrer

Ne me quitte pas
Ne me quitte pas
Ne me quitte pas
Ne me quitte pas

On a vu souvent
Rejaillir le feu
De l'ancien volcan
Qu'on croyait trop vieux
Il est paraît-il
Des terres brûlées
Donnant plus de blé
Qu'un meilleur avril
Et quand vient le soir
Pour qu'un ciel flamboie
Le rouge et le noir
Ne s'épousent-ils pas

Ne me quitte pas
Ne me quitte pas
Ne me quitte pas
Ne me quitte pas

Ne me quitte pas
Je ne vais plus pleurer
Je ne vais plus parler
Je me cacherai là
À te regarder
Danser et sourire
Et à t'écouter
Chanter et puis rire
Laisse-moi devenir
L'ombre de ton ombre
L'ombre de ta main
L'ombre de ton chien

Ne me quitte pas
Ne me quitte pas
Ne me quitte pas
Ne me quitte pas

Créée par Georgel et Germaine Lix en 1924, cette chanson pathétique de Jean Lenoir (le futur auteur de *Parlez-moi d'amour*) est devenue un grand succès d'Yvonne George à l'Olympia deux ans plus tard. Elle faisait de cette romance une saynète très expressive qui devint son principal succès au disque.

ars !...

Paroles et musique de Jean Lenoir

Pars sans te retourner, pars, sans te souvenir.
Ni mes baisers, ni mes étreintes,
En ton cœur n'ont laissé d'empreintes
Je n'ai pas su t'aimer,
Pas su te retenir !
Pars, sans un mot d'adieu, pars,
Laisse-moi souffrir ;
Le vent qui t'apporta t'emporte
Et, dussé-je en mourir, qu'importe...
Pars, sans te retourner, pars, sans te souvenir !

Ne t'excuse pas tu n'es pas coupable
N'aie pas de pitié n'aie pas de regrets,
Pour moi seulement, je suis pitoyable
Et mon désespoir reste mon secret.
Tu peux sans remords briser notre chaîne,
Nous ne sommes plus que des étrangers,
Poursuis ton chemin, sans craindre ma haine
Car d'autres sauront bien mieux me venger,
Puisqu'à ton tour va, on te trahira
Et comme moi, tu souffriras

Pars sans te retourner, pars, sans te souvenir.
Ni mes baisers, ni mes étreintes,
En ton cœur n'ont laissé d'empreintes
Je n'ai pas su t'aimer,
Pas su te retenir !
Pars, sans un mot d'adieu, pars,
Laisse-moi souffrir ;
Le vent qui t'apporta t'emporte
Et, dussé-je en mourir, qu'importe...
Pars, sans te retourner, pars, sans te souvenir !

C'est de notre amour l'atroce agonie
Et tout comme lui, vois le jour, le jour se meurt
L'ombre qui descend s'étend infinie,
Les voiles du soir cacheront mes pleurs.
Tu ne sauras pas toute ma détresse
Tout le vide affreux de ton abandon.
Prends dans un baiser l'ultime caresse,
Puis, tu t'en iras avec mon pardon.
Le souvenir est un chemin très long
Que l'on parcourt à reculons.

Pars sans te retourner, pars, sans te souvenir.
Ni mes baisers, ni mes étreintes,
En ton cœur n'ont laissé d'empreintes
Je n'ai pas su t'aimer,
Pas su te retenir !
Pars, sans un mot d'adieu, pars,
Laisse-moi souffrir ;
Le vent qui t'apporta t'emporte
Et, dussé-je en mourir, qu'importe...
Pars, sans te retourner, pars, sans te souvenir !

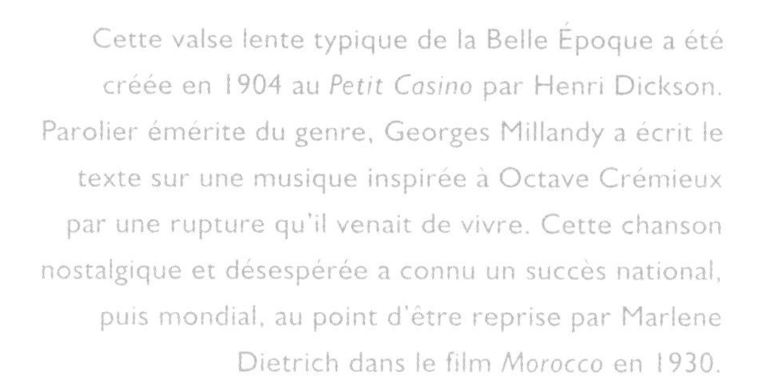

Cette valse lente typique de la Belle Époque a été créée en 1904 au *Petit Casino* par Henri Dickson. Parolier émérite du genre, Georges Millandy a écrit le texte sur une musique inspirée à Octave Crémieux par une rupture qu'il venait de vivre. Cette chanson nostalgique et désespérée a connu un succès national, puis mondial, au point d'être reprise par Marlene Dietrich dans le film *Morocco* en 1930.

Quand l'amour meurt...

Paroles de Georges Millandy
Musique de Octave Crémieux

Lorsque tout est fini,
Quand se meurt votre beau rêve,
Pourquoi pleurer les jours enfuis,
Regretter les songes partis ?
Les baisers sont flétris,
Le roman vite s'achève.
Pourtant le cœur n'est pas guéri,
Quand tout est fini !

On fait serment, en sa folie,
De s'adorer longtemps, longtemps...
On est charmant, elle est jolie.
C'est par un soir de gai printemps...
Mais un beau jour, pour rien, sans cause,
L'amour se fane avec les fleurs ;
Alors on reste là, tout chose,
Le cœur serré les yeux emplis de pleurs !

Lorsque tout est fini,
Quand se meurt votre beau rêve,
Pourquoi pleurer les jours enfuis,
Regretter les songes partis ?
Les baisers sont flétris,
Le roman vite s'achève.
Pourtant le cœur n'est pas guéri,
Quand tout est fini !

Adieu printemps ! déjà l'automne
A dépouillé les prés, les bois,
Et votre cœur tout bas s'étonne
De n'aimer plus comme autrefois.
Au vent mauvais qui les emporte,
Nos regrets cèdent tour à tour,
Pourtant, parmi les feuilles mortes,
On cherche encor s'il reste un peu d'amour...

Lorsque tout est fini,
Quand se meurt votre beau rêve,
Pourquoi pleurer les jours enfuis,
Regretter les songes partis ?
Les baisers sont flétris,
Le roman vite s'achève.
Pourtant le cœur n'est pas guéri,
Quand tout est fini !

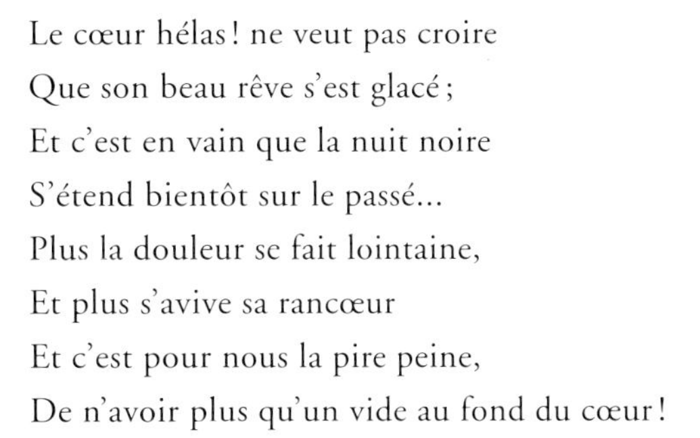

Le cœur hélas ! ne veut pas croire
Que son beau rêve s'est glacé ;
Et c'est en vain que la nuit noire
S'étend bientôt sur le passé...
Plus la douleur se fait lointaine,
Et plus s'avive sa rancœur
Et c'est pour nous la pire peine,
De n'avoir plus qu'un vide au fond du cœur !

Lorsque tout est fini,
Quand se meurt votre beau rêve,
Pourquoi pleurer les jours enfuis,
Regretter les songes partis ?...
Les baisers sont flétris
Le roman vite s'achève.
Et l'on reste à jamais meurtri,
Quand tout est fini !

Que c'est triste Venise

Paroles de Françoise Dorin
Musique de Charles Aznavour

Spécialiste des amours déchirées, Aznavour composa en 1964 sur des paroles de François Dorin cet hymne italianisant, souligné par les arrangements de l'orchestre de Paul Mauriat : mandolines, violons et violoncelles. Le cliché a la vie dure, car la chanson traduite en italien est devenue un classique là-bas et bien des autochtones croient qu'elle vient du folklore vénitien.

Que c'est triste Venise
Au temps des amours mortes
Que c'est triste Venise
Quand on ne s'aime plus

On cherche encore des mots
Mais l'ennui les emporte
On voudrait bien pleurer
Mais on ne le peut plus

Que c'est triste Venise
Lorsque les barcarolles
Ne viennent souligner
Que des silences creux

Et que le cœur se serre
En voyant les gondoles
Abriter le bonheur
Des couples amoureux

Que c'est triste Venise
Au temps des amours mortes
Que c'est triste Venise
Quand on ne s'aime plus

Les musées, les églises
Ouvrent en vain leurs portes
Inutile beauté
Devant nos yeux déçus

Que c'est triste Venise
Le soir sur la lagune
Quand on cherche une main
Que l'on ne vous tend pas

Et que l'on ironise
Devant le clair de lune
Pour tenter d'oublier
Ce qu'on ne se dit pas

Adieu tous les pigeons
Qui nous ont fait escorte
Adieu pont des Soupirs
Adieu rêves perdus

C'est trop triste Venise
Au temps des amours mortes
C'est trop triste Venise
Quand on ne s'aime plus

Je tir' ma révérence
ou Dites-lui que je l'aime

Paroles et musique de Pascal Bastia

Vous, mes amis, mes souvenirs,
Si vous la voyez revenir
Dites-lui que mon cœur lassé
Vient de rompre avec le passé...

Je tir' ma révérence
Et m'en vais au hasard,
Par les routes de France,
De France et de Navarr',
Dites-lui que je l'aime,
Que je l'aime, quand même
Et dites-lui trois fois
Bonjour, bonjour, bonjour, pour moi!...

Pourquoi faire entre nous de grands adieux?
Partir sans un regard est beaucoup mieux!

J'avais sa préférence,
J'étais son seul bonheur.
Hélas! les apparences
Et le sort sont trompeurs!
Un autre a pris ma place
Tout passe, lasse et casse...
Des grands mots? Oh pourquoi?
Non! Dites-lui bonjour pour moi!
Elle croit que j'ai beaucoup de chagrin,
Aujourd'hui non, mais peut-être demain...

Je n'ai plus d'espérance
Et remporte mon cœur
Par les routes de France,
De France ou bien d'ailleurs,
Dites-lui que je l'aime,
Que je l'aime quand même
Et dites-lui trois fois :
Bonjour, bonjour, bonjour, pour moi!
bonjour, trois fois bonjour,
Bonjour, bonjour, bonjour, pour moi!

Ce slow a été créé en 1935 par René Smyth dans l'opérette de Pascal Bastia *Le groom s'en chargera*, qui n'est pas restée longtemps à l'affiche du *Théâtre des Variétés*. C'est par Jean Sablon, qui l'a chantée en Amérique à partir de 1937 et l'a rapportée en France en 1939, qu'elle est devenue un succès. Marlene Dietrich, qui l'aimait beaucoup, l'a enregistrée en 1960.

Vive la rose et le lilas
ou Mon amant me délaisse...
Anonyme, XVIIIe siècle

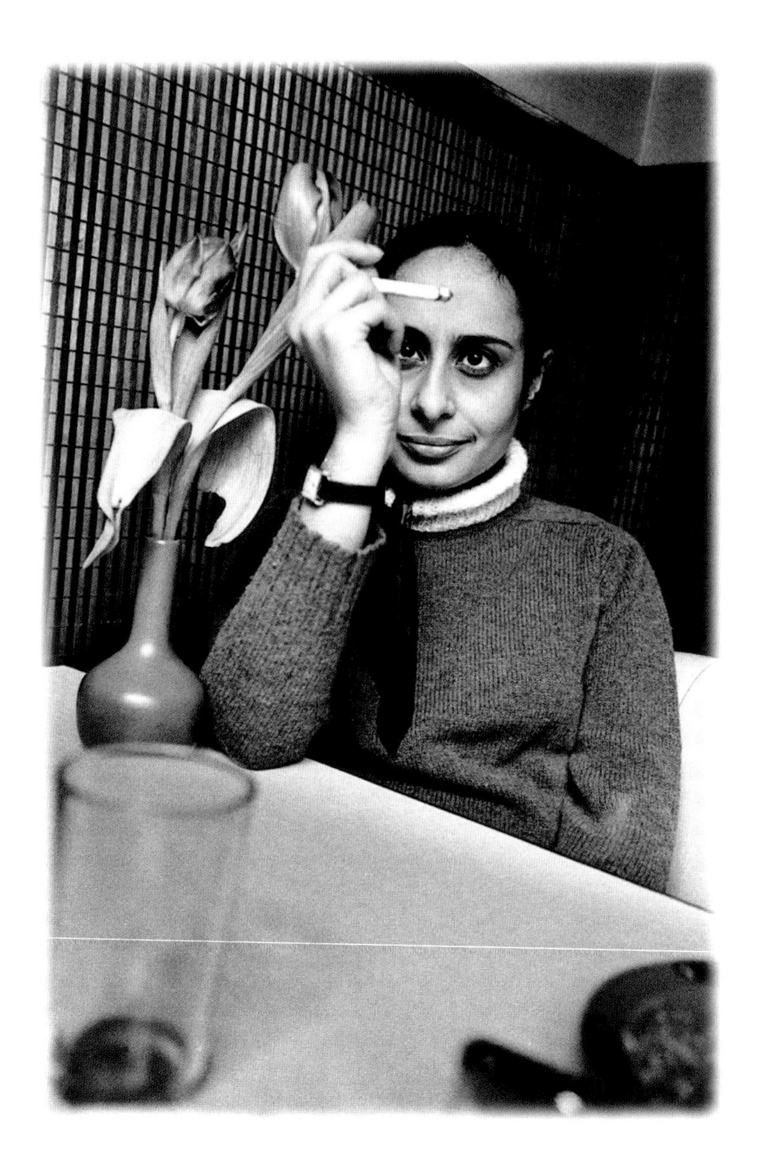

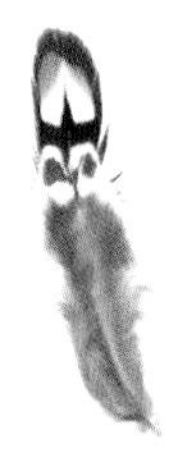

Variante insolite, car non mélancolique, du thème de l'amoureuse éconduite, cette chanson prend au contraire la forme d'une ronde enlevée. Elle a été recueillie au XIXe siècle dans plusieurs provinces françaises et l'origine de son refrain remonte au XVIe siècle. L'arrangement folk proposé par Guy Béart en 1966 lui a redonné une nouvelle jeunesse, et Cora Vaucaire l'a chantée au *Théâtre de la Ville* en 1973.

Mon amant me délaisse,
O gai, vive la rose !
Je ne sais pas pourquoi,
Vive la rose et le lilas !
Je ne sais pas pourquoi,
Vive la rose et le lilas.

Il va-t-en voir une autre,
O gai ! vive la rose !
Qu'est plus riche que moi,
Vive la rose et le lilas !
Qu'est plus riche que moi,
Vive la rose et le lilas !

On dit qu'elle est plus belle,
O gai ! vive la rose !
Je n'en disconviens pas,
Vive la rose et le lilas !
Je n'en disconviens pas,
Vive la rose et le lilas !

On dit qu'elle est malade,
O gai ! vive la rose !
Peut-être elle en mourra,
Vive la rose et le lilas !
Peut-être elle en mourra,
Vive la rose et le lilas !

Mais si ell' meurt dimanche,
O gai ! vive la rose !
Lundi on l'enterr'ra,
Vive la rose et le lilas !
Lundi on l'enterr'ra,
Vive la rose et le lilas !

Mardi i'r'viendra m'voir,
O gai ! vive la rose !
Mais je n'en voudrai pas,
Vive la rose et le lilas !
Mais je n'en voudrai pas,
Vive la rose et le lilas !

Et maintenant...

Paroles de Pierre Delanoë, musique de Gilbert Bécaud

Et maintenant, que vais-je faire
De tout ce temps que sera ma vie
De tous ces gens qui m'indiffèrent
Maintenant que tu es partie

Toutes ces nuits, pourquoi, pour qui ?
Et ce matin qui revient pour rien
Ce cœur qui bat, pour qui, pourquoi ?
Qui bat trop fort, trop fort

Et maintenant, que vais-je faire
Vers quel néant glissera ma vie
Tu m'as laissé la terre entière
Mais la terre, sans toi c'est petit

Vous, mes amis, soyez gentils
Vous savez bien que l'on n'y peut rien
Même Paris crève d'ennui
Toutes ses rues me tuent

Et maintenant, que vais-je faire
Je vais en rire pour ne plus pleurer
Je vais brûler des nuits entières
Au matin, je te haïrai

Et puis un soir, dans mon miroir
Je verrai bien la fin du chemin
Pas une fleur et pas de pleurs
Au moment de l'adieu

Je n'ai vraiment plus rien à faire
Je n'ai vraiment plus rien...

Dans l'avion Paris-Nice, une célèbre actrice raconta à Gilbert Bécaud un douloureux chagrin d'amour, s'exclamant sans cesse : « Et maintenant, qu'est-ce que je vais faire ? » À la demande du chanteur, qui avait déjà le canevas de la musique, Pierre Delanoë écrivit ensuite les paroles de cette chanson, que Gilbert enregistra en 1962 sans beaucoup y croire. Soutenue par un rythme de batterie lancinant dû à l'arrangeur Raymond Bernard, la musique crescendo de Bécaud a pourtant marqué les esprits au point de voir la chanson traduite peu après en anglais. Frank Sinatra, Shirley Bassey et Judy Garland l'ont gravée avec succès sous le titre *What Now My Love*.

L'absence

Que le jour me dure !

Paroles et musique de Jean-Jacques Rousseau

Que le jour me dure
Passé loin de toi !
Toute la nature
N'est plus rien pour moi ;
Le plus vert bocage
Quand tu n'y viens pas
N'est qu'un lieu sauvage
Pour moi sans appas.

Hélas ! si je passe
Un jour sans te voir,
Je cherche ta trace
Dans mon désespoir.
Quand je l'ai perdue
Je reste à pleurer,
Mon âme éperdue
Est près d'expirer.

Le cœur me palpite
Quand j'entends ta voix,
Tout mon sang s'agite
Dès que je te vois.
Ouvres-tu la bouche,
Les cieux vont s'ouvrir,
Si ta main me touche,
Je me sens frémir.

Le culte de la nature et des bons sentiments prôné par les Lumières déboucha sur la romance, genre qui se développa surtout à la fin du XVIIIe siècle à la cour. La plupart de ces romances étaient signées par quelques nobles (dont la reine Marie-Antoinette elle-même). Auteur d'un *Dictionnaire de la musique*, Jean-Jacques Rousseau publia en 1781 un recueil de romances intitulé *Consolations des misères de ma vie*, où figure cette chanson.

Quand le bien-aimé reviendra
ou Romance de Nina

Paroles de Marsollier, musique de Nicolas Dalayrac

Quand le bien-aimé reviendra
Près de sa languissante amie
Le printemps alors renaîtra
L'herbe sera toujours fleurie.
Mais je regarde, mais je regarde
Hélas ! Hélas !
Le bien-aimé n'arrive pas. *(bis)*

Oiseaux, vous chantez bien mieux
Quand du bien-aimé la voix tendre
Vous peindra ses transports, ses feux
Car c'est à lui de vous l'apprendre.
Mais, mais j'écoute ; mais, mais j'écoute
Hélas ! Hélas !
Le bien-aimé ne chante pas. *(bis)*

Écho, que j'ai lassé cent fois
De mes regrets, de ma tristesse
Il revient, peut-être sa voix
Te demande aussi sa maîtresse.
Paix... il appelle... paix... il appelle
Hélas ! Hélas !
Le bien-aimé n'appelle pas. *(bis)*

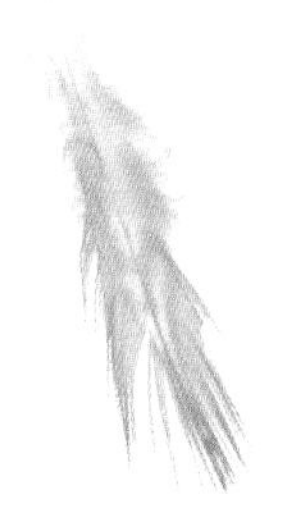

Cette célèbre mélodie fut composée en 1786 par Dalayrac (auteur d'une cinquantaine d'opéras comiques) pour la comédie *Nina* ou *La Folle amour*, où elle était interprétée par la célèbre actrice Dugazon.

Cet énorme succès de l'Occupation créé par Léo Marjane et Toni Bert date de 1941. Durant cette période d'abattement et de mélancolie, la chanson et le cinéma servaient d'antidote aux tracas quotidiens. Cette complainte joua le rôle de dédicace pour des centaines de milliers d'épouses, d'amantes ou de fiancées de prisonniers de guerre retenus en Allemagne, renforcés quelques mois plus tard par les « volontaires » du STO. L'identification des auditeurs à cette chanson, servie par le timbre chaud et l'interprétation douloureuse de Marjane, particulièrement radiogénique, conforta cette dernière dans son statut de vedette incontestée.

Je suis seule ce soir

Paroles de Rose Noël et Jean Casanova musique, de Paul Durand

Je suis seule ce soir
Avec mes rêves,
Je suis seule ce soir
Sans ton amour.
Le jour tombe, ma joie s'achève,
Tout se brise dans mon cœur lourd.
Je suis seule ce soir
Avec ma peine
J'ai perdu l'espoir
De ton retour,
Et pourtant je t'aime encor' et pour toujours
Ne me laisse pas seule sans ton amour.

Je viens de fermer ma fenêtre,
Le brouillard qui tombe est glacé
Jusque dans ma chambre il pénètre,
Notre chambre où meurt le passé.

Je suis seule ce soir
Avec mes rêves,
Je suis seule ce soir
Sans ton amour.
Le jour tombe, ma joie s'achève,
Tout se brise dans mon cœur lourd.
Je suis seule ce soir
Avec ma peine
J'ai perdu l'espoir
De ton retour,
Et pourtant je t'aime encor' et pour toujours
Ne me laisse pas seule sans ton amour.

Dans la cheminée, le vent pleure,
Les roses s'effeuillent sans bruit,
L'horloge, en marquant les quarts d'heure,
D'un son grêle berce l'ennui.

Je suis seule ce soir
Avec mes rêves,
Je suis seule ce soir
Sans ton amour.
Le jour tombe, ma joie s'achève,
Tout se brise dans mon cœur lourd.
Je suis seule ce soir
Avec ma peine
J'ai perdu l'espoir
De ton retour,
Et pourtant je t'aime encor' et pour toujours
Ne me laisse pas seule sans ton amour.

Tout demeure ainsi que tu l'aimes,
Dans ce coin par toi dédaigné,
Mais si ton parfum flotte même,
Ton dernier bouquet s'est fané.

Je suis seule ce soir
Avec mes rêves,
Je suis seule ce soir
Sans ton amour.
Le jour tombe, ma joie s'achève,
Tout se brise dans mon cœur lourd.
Je suis seule ce soir
Avec ma peine
J'ai perdu l'espoir
De ton retour,
Et pourtant je t'aime encor' et pour toujours
Ne me laisse pas seule sans ton amour.

J'attendrai...

Paroles de Louis Poterat, musique de Dino Olivieri

Les fleurs pâlissent, le feu s'éteint
L'ombre se glisse dans le jardin
L'horloge tisse des sons très las
Je crois entendre ton pas
Le vent m'apporte des bruits lointains
Guettant ma porte, j'écoute en vain
Hélas, plus rien, plus rien ne vient

J'attendrai, le jour et la nuit
J'attendrai toujours, ton retour
J'attendrai, car l'oiseau qui s'enfuit
Vient chercher l'oubli dans son nid
Le temps passe et court
En battant tristement dans mon cœur plus lourd
Et pourtant j'attendrai ton retour

Reviens bien vite, les jours sont froids
Et sans limite, les nuits sans toi
Quand on se quitte, on oublie tout
Mais revenir est si doux
Si ma tristesse peut t'émouvoir
Avec tendresse, reviens un soir
Et dans tes bras, tout renaîtra

J'attendrai, le jour et la nuit
J'attendrai toujours, ton retour
J'attendrai, car l'oiseau qui s'enfuit
Vient chercher l'oubli dans son nid
Le temps passe et court
En battant tristement dans mon cœur plus lourd
Et pourtant j'attendrai ton retour

Cette adaptation du succès italien *Tornerai*, composé en 1937, fut lancée en France l'année suivante par Rina Ketty (dont l'accent turinois faisait merveille sur les ondes), puis par Tino Rossi et Jean Sablon. Traitée en romance, cette chanson a été reçue à l'étranger comme authentiquement française. Elle résonna durant l'Occupation (avec *Seule ce soir* et *Attends-moi mon amour*) comme l'hymne des femmes privées de leurs hommes partis à la guerre ou prisonniers. Quarante ans plus tard, Dalida en a donné une version disco décoiffante qui, en dépit des critiques, s'est installée pendant plusieurs semaines en tête du hit-parade.

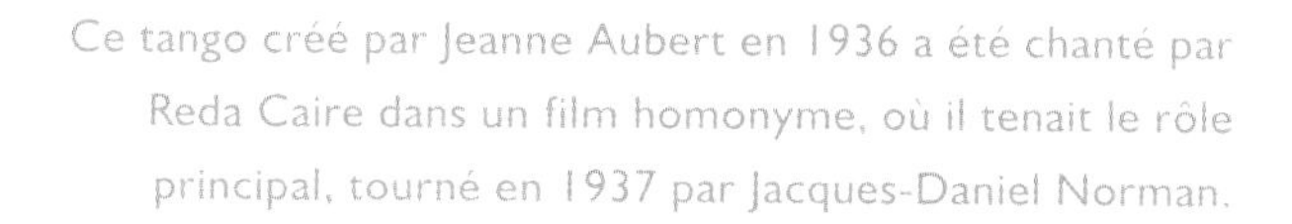

Ce tango créé par Jeanne Aubert en 1936 a été chanté par Reda Caire dans un film homonyme, où il tenait le rôle principal, tourné en 1937 par Jacques-Daniel Norman.

Si tu reviens

Paroles de Saint-Giniez, musique de Tiarko Richepin

Tu m'écris que tu les déplores
Toutes tes erreurs d'autrefois ;
Tu dis que tu m'aimes encore
Et que, ce soir, tu reviendras chez moi ;
Crois-tu que l'on peut, dans la vie,
Jouer avec un grand amour,
Et puis, quand vous en prend l'envie,
Annoncer gaiement son retour ?

Si tu reviens,
Sauras-tu demander pardon,
Me donneras-tu la raison
Pour laquelle tu t'en allas ?
Je sais trop bien
Que tous les mots ne prouvent rien ;
J'attends ceux que tu me diras
Si tu reviens !

Es-tu certain, quoi que tu fasses,
Que je ne puisse aimer que toi,
Que nul autre n'a pris ta place
Depuis tant de jours passés loin de moi ?
Ton orgueil est grand pour prétendre
Si vite me reconquérir
Mon cœur s'est lassé de t'attendre !
Il ne saura pas t'accueillir !

Si tu reviens,
Sauras-tu demander pardon,
Me donneras-tu la raison
Pour laquelle tu t'en allas ?
Je sais trop bien
Que tous les mots ne prouvent rien ;
J'attends ceux que tu me diras
Si tu reviens !

Voilà pourtant que l'heure sonne :
Dehors un pas glisse ; est-ce toi ?
Le pas s'éloigne et je frissonne !
Vas-tu me quitter encore une fois ?...
Qu'ai-je dit tout haut tout à l'heure ?...
Ces mots... je ne les pensais pas...
Je ne menace plus... Je pleure !
En suppliant, je tends mes bras.

Si tu reviens
Ne me demande pas pardon,
Ne m'explique pas la raison...
Pour laquelle tu t'en allas ;
Je sais trop bien...
Que tous les mots ne prouvent rien...
Il suffira que tu sois là...
Si tu reviens !...

Oublions le passé...

Paroles d'Émile Gabel, musique d'Henri Dickson

Cette valse boston est le plus grand succès de Dickson, compositeur et chanteur de charme par excellence de la Belle Époque. On lui doit aussi *Je vous aime... et j'en meurs* et *Dernière Valse*. Son genre de composition aura des héritiers : Mario Cazès dans les années 1920 et Charles Aznavour dans les années 1950-1960. Le texte d'*Oublions le passé*, créé en 1908, semble avoir servi de brouillon à l'inoubliable *Reviens !* de Fragson, écrit et composé deux ans plus tard.

J'oublierai le passé... reviens.
Ma douleur, comprends-le, fut extrême
De t'avoir vue briser le lien
D'un bonheur que tu disais suprême.
J'ai souffert, nul ne sait combien !
Je devrais te haïr... et... je t'aime
Ainsi qu'aux premiers jours
C'est toi mon seul amour

Oublions le passé, reviens Mimi reviens !
(Oublions le passé, reviens, pitié, reviens !)[1]
Afin d'effacer de mon âme en détresse,
Le doux souvenir de tes folles caresses,
(Le doux souvenir de ta folle tendresse)[1]
J'ai cherché l'oubli dans le plaisir,
Pour calmer mon désir.
Mais dans les bras d'autres maîtresses,
(Mais hélas ! sous d'autres caresses)[1]
Je pense à toi sans cesse.

J'oublierai le passé... reviens.
Ma douleur, comprends-le, fut extrême
De t'avoir vue briser le lien
D'un bonheur que tu disais suprême.
J'ai souffert, nul ne sait combien !
Je devrais te haïr... et... je t'aime
Ainsi qu'aux premiers jours
C'est toi mon seul amour

Pour ne plus songer à celle que j'adore
Autant qu'autrefois et... davantage encore,
Dans l'orgie, alors, l'esprit perdu
Toutes les nuits j'ai bu.
Mais hélas ! même dans l'ivresse,
Je te revois sans cesse.

Version pour les dames
Pour ne plus songer à l'ingrat que j'adore
Autant qu'autrefois et... davantage encore,
J'ai cherché l'oubli, loin de tes yeux
J'ai fui vers d'autres cieux.
Plus grande est encore ma détresse,
Je pense à toi sans cesse.

J'oublierai le passé... reviens...
Ma douleur, comprends-le, fut extrême
De t'avoir vue briser le lien
D'un bonheur que tu disais suprême.
J'ai souffert, nul ne sait combien !
Je devrais te haïr... et... je t'aime
Ainsi qu'aux premiers jours
C'est toi mon seul amour
Oublions le passé, reviens Mimi reviens !
(Oublions le passé, reviens, pitié, reviens !)[1]

[1] *Version pour les dames*

Reviens !

Paroles et musique d'Henri Christiné et Harry Fragson

J'ai retrouvé la chambrette d'amour
Témoin de notre folie,
Où tu venais m'apporter chaque jour
Ton baiser, ta grâce jolie.
Et chaque objet semblait me murmurer :
Pourquoi reviens-tu sans elle?
Si ton amie un jour fut infidèle,
Il fallait lui pardonner!
Dans mon cœur tout ému des souvenirs anciens
Une voix murmura : Reviens!

Reviens, veux-tu?
Ton absence a brisé ma vie.
Aucune femme, vois-tu,
N'a jamais pris ta place en mon cœur, amie.
Reviens, veux-tu?
Car ma souffrance est infinie,
Je veux retrouver tout mon bonheur perdu!
Reviens, reviens, veux-tu?

J'ai retrouvé le bouquet de deux sous,
Petit bouquet de violettes,
Que tu portais au dernier rendez-vous...
J'ai pleuré devant ces fleurettes!
Pauvre bouquet fané depuis longtemps,
Tu rappelles tant de choses...
Ton doux parfum dans la chambre bien close
Nous apportait le printemps!
Le bouquet s'est flétri, mais mon cœur se souvient
Et tout bas il te dit : Reviens...

Reviens, veux-tu?
Ton absence a brisé ma vie.
Aucune femme, vois-tu,
N'a jamais pris ta place en mon cœur, amie.
Reviens, veux-tu?
Car ma souffrance est infinie,
Je veux retrouver tout mon bonheur perdu!
Reviens, reviens, veux-tu?

J'ai retrouvé le billet tout froissé
Qui m'annonçait la rupture,
Et ce billet que ta main a tracé
À rouvert l'ancienne blessure!
Je le tenais entre mes doigts crispés
Hésitant à le détruire...
Puis brusquement, craignant de le relire,
Dans le feu je l'ai jeté!
J'ai détruit le passé, il n'en reste plus rien,
Tout mon cœur te chante : Reviens!

Reviens, veux-tu?
Ton absence a brisé ma vie.
Aucune femme, vois-tu,
N'a jamais pris ta place en mon cœur, amie.
Reviens, veux-tu?
Car ma souffrance est infinie,
Je veux retrouver tout mon bonheur perdu!
Reviens, reviens, veux-tu?

Créée par Fragson à l'*Alhambra* en 1910, cette très belle valse qu'il a cosignée avec son complice Henri Christiné, où la phrase musicale ascendante du début du refrain exprime à merveille l'élan de la passion, reste comme une forme de testament artistique intemporel. Cette romance a connu un succès considérable bien après la disparition tragique de son créateur Harry Fragson, assassiné par son père en 1913. Elle figure parmi les chansons françaises les plus enregistrées tout au long du XXe siècle par les interprètes les plus divers, comme Jean Sablon qui l'a fait connaître à travers le monde en français et en anglais.

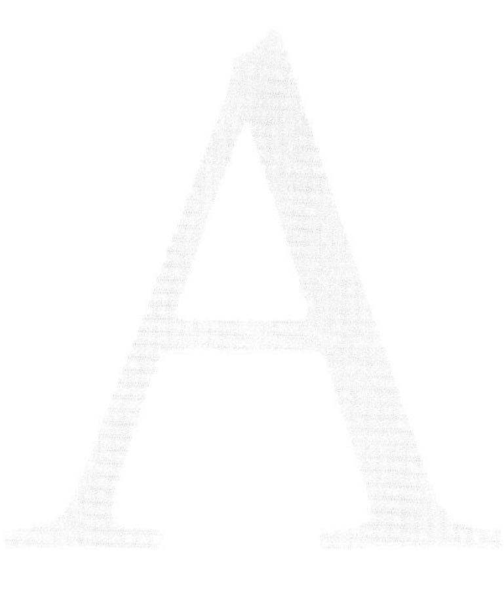

Après la rupture

Paroles et musique d'Eugène Lemercier

Chansonnier émérite des cabarets montmartrois, Eugène Lemercier a signé et interprété cette romance en 1896. Elle doit son succès populaire au chanteur de charme Mercadier qui l'a enregistrée sur cylindre dès 1898.

Eh ! quoi, Ninon, tu viens à ma rencontre
Tu veux parler à ton ancien amant
Et ton minois, très décidé se montre
Illuminé d'un sourire charmant
Un an déjà depuis notre rupture
S'est écoulé, nous n'en sommes pas morts
Mais, soyons francs, cette étrange aventure,
Nous a laissé le cœur plein de remords.

Pourquoi briser deux cœurs à la légère
Si tôt ou tard on doit le regretter ?
J'ai conservé cette illusion chère
Que nous n'aurions jamais dû nous quitter. (bis)

Tu m'accusais de te tromper, méchante !
Moi, je craignais quelque infidélité :
En proie au doute affreux qui désenchante
On est parti chacun de son côté.
Pendant longtemps, Ninon je te l'assure,
J'ai bien pleuré, mais un jour, Dieu merci !
Baume d'amour qui pansa ma blessure,
Quelqu'un m'apprit que tu pleurais aussi.

Pourquoi briser deux cœurs à la légère
Si tôt ou tard on doit le regretter ?
J'ai conservé cette illusion chère
Que nous n'aurions jamais dû nous quitter. (bis)

L'oubli, vois-tu, c'est le maître du monde,
Il vient à bout des plus longs désespoirs ;
Tu pris un blond, moi je pris une blonde...
Mais j'ai souvent regretté tes yeux noirs.
Si bien des fois, j'ai contrarié Rose
Sans le vouloir en l'appelant : « Ninon ! »
Mon remplaçant maintes nuits fut morose
Quand, tendrement, tu lui donnas mon nom.

Pourquoi briser deux cœurs à la légère
Si tôt ou tard on doit le regretter ?
J'ai conservé cette illusion chère
Que nous n'aurions jamais dû nous quitter. (bis)

Toujours jolie et toujours captivante,
Tu viens à moi : je me sens défaillir ;
Tu m'apparais comme une fleur vivante
Et mon amour m'invite à te cueillir.
Suivant tes pas, je te prends par la taille,
En ton logis bientôt je suis rendu,
Là dans tes bras sans la moindre bataille,
J'ai retrouvé mon paradis perdu.

Pourquoi briser deux cœurs à la légère
Si tôt ou tard, on doit le regretter ?
Aimons-nous bien ma chère,
Car nous n'aurions jamais dû nous quitter. (bis)

Chanson de Musette

Paroles d'Henri Murger
Musique d'Alfred Vernet

Hier, en voyant une hirondelle
Qui nous ramenait le printemps,
Je me suis rappelé la belle
Qui m'aima quand elle eut le temps.
Et, pendant toute la journée,
Pensif, je suis resté devant
Le vieil almanach de l'année
Où nous nous sommes aimés tant !

Non, ma jeunesse n'est pas morte,
Il n'est pas mort, ton souvenir
Et si tu frappais à ma porte,
Mon cœur, Musette, irait t'ouvrir.
Puisqu'à ta voix toujours il tremble,
Muse de l'infidélité,
Reviens encor manger ensemble
Le pain bénit de la gaieté.

Les meubles de notre chambrette,
Ces vieux amis de notre amour,
Déjà prennent un air de fête
Au seul espoir de ton retour.
Viens ! tu retrouveras, ma chère,
Tous ceux qu'en deuil mit ton départ :
Le petit lit, et le grand verre
Où tu buvais souvent ma part.

Tu remettras la robe blanche
Dont tu te parais autrefois,
Et, comme autrefois, le dimanche,
Nous irons courir dans les bois.
Assis, le soir, sous la tonnelle,
Nous boirons encor ce vin clair
Où ta chanson mouillait son aile,
Avant de s'envoler dans l'air.

Musette, qui s'est souvenue,
Le carnaval étant fini,
Un beau matin, est revenue,
Oiseau volage, à l'ancien nid.
Mais en embrassant l'infidèle,
Mon cœur n'a plus senti d'émoi,
Et Musette, qui n'est plus elle,
Disait que je n'étais plus moi !

Adieu, va-t'en, chère adorée,
Bien morte avec l'amour dernier.
Notre jeunesse est enterrée
Au fond du vieux calendrier.
Ce n'est plus qu'en fouillant la cendre
Des beaux jours qu'il a contenus
Qu'un souvenir pourra nous rendre
La clef des paradis perdus.

Cette chanson est la plus célèbre d'Henri Murger, auteur du roman *Scènes de la vie de bohème* (1848). Son livre a popularisé le personnage de Musette, à la vie légère et au cœur innocent, et inspiré le sujet de l'opéra *La Bohème* à Puccini.

Dis, quand reviendras-tu ?

Paroles et musique de Barbara

Cette chanson autobiographique créée par Barbara au cabaret *L'Écluse* en 1962 est aussi sa première chanson d'amour. Elle a déclaré en 1966 à la télévision qu'auparavant elle ne voulait pas chanter de chansons d'amour, le plus souvent écrites par des hommes, car elle voulait en parler différemment. Après l'avoir enregistrée mais hésité à laisser sortir le disque Barbara, a confié sa chanson à Cora Vaucaire qui l'a sortie en 1963. Eva, chanteuse d'origine allemande à la belle voix grave, a enregistré dès 1964 un album comprenant plusieurs titres de Barbara, dont celui-ci.

Voilà combien de jours, voilà combien de nuits,
Voilà combien de temps que tu es reparti,
Tu m'as dit cette fois, c'est le dernier voyage,
Pour nos cœurs déchirés, c'est le dernier naufrage,
Au printemps, tu verras, je serai de retour,
Le printemps, c'est joli pour se parler d'amour,
Nous irons voir ensemble les jardins refleuris,
Et déambulerons dans les rues de Paris.

Dis, quand reviendras-tu,
Dis, au moins le sais-tu,
Que tout le temps qui passe,
Ne se rattrape guère,
Que tout le temps perdu,
Ne se rattrape plus,

Le printemps s'est enfui depuis longtemps déjà,
Craquent les feuilles mortes, brûlent les feux de bois,
À voir Paris si beau dans cette fin d'automne,
Soudain je m'alanguis, je rêve, je frissonne,
Je tangue, je chavire, et comme la rengaine,
Je vais, je viens, je vire, je me tourne, je me traîne,
Ton image me hante, je te parle tout bas,
Et j'ai le mal d'amour, et j'ai le mal de toi.

Dis, quand reviendras-tu,
Dis, au moins le sais-tu,
Que tout le temps qui passe,
Ne se rattrape guère,
Que tout le temps perdu,
Ne se rattrape plus,

J'ai beau t'aimer encore, j'ai beau t'aimer toujours,
J'ai beau n'aimer que toi, j'ai beau t'aimer d'amour,
Si tu ne comprends pas qu'il te faut revenir,
Je ferai de nous deux mes plus beaux souvenirs,
Je reprendrai la route, le monde m'émerveille,
J'irai me réchauffer à un autre soleil,
Je ne suis pas de celles qui meurent de chagrin,
Je n'ai pas la vertu des femmes de marins.

Dis, quand reviendras-tu,
Dis, au moins le sais-tu,
Que tout le temps qui passe,
Ne se rattrape guère,
Que tout le temps perdu,
Ne se rattrape plus...

Après des débuts laborieux, Michel Jonasz rencontra plusieurs auteurs au cours des années 1970 : Franck Thomas, Jean-Claude Vannier et Pierre Grosz. Avec d'excellents orchestrateurs, cet homme de spectacle a construit un style et un univers très personnels, influencé par le jazz et les mélopées tsziganes qui ont bercé son enfance. Cette nouvelle chanson de 1975 sur le thème de l'attente résonne comme une supplique impudique, à la manière de Jacques Brel, mais dans un style musical plus lyrique.

Je voulais te dire que je t'attends

Paroles de Michel Jonasz et de Pierre Grosz
Musique de Pierre Grosz

Je mettrai mon cœur dans du papier d'argent
Mon numéro d'appel aux abonnés absents
Mes chansons d'amour resteront là dans mon piano
J'aurai jeté la clef du piano dans l'eau
J'irai voir les rois de la brocante
Vendez mon cœur trois francs cinquante
Tu savais si bien l'écouter
Que ma vie s'est arrêtée
Quand tu m'as quitté

Je voulais te dire que je t'attends
Et tant pis si je perds mon temps
Je t'attends, je t'attends tout le temps
Sans me décourager pourtant
Comme quelqu'un qui n'a plus personne
S'endort près de son téléphone
Et sourit quand on le réveille
Mais ce n'était que le Soleil

L'autre jour j'ai vu quelqu'un qui te ressemble
Et la rue était comme une photo qui tremble
Si c'est toi qui passes le jour où je me promène
Si c'est vraiment toi, je vois déjà la scène
Moi je te regarde
Et tu me regardes

Je voulais te dire que je t'attends
Et tant pis si je perds mon temps
Je t'attends, je t'attends tout le temps
Ce soir, demain, n'importe quand
Comme quelqu'un qui n'a plus personne
S'endort près de son téléphone
Et qui te cherche à son réveil
Tout seul au soleil, j'attends

Je voulais te dire que je t'attends
Si tu savais comme je t'attends
Je t'attends, je t'attends tout l'temps
Quand seras-tu là, je t'attends

Je voulais te dire que je t'attends
Si tu savais comme je t'attends
Je t'attends, je t'attends tout l'temps
Je voulais te dire que je t'attends

HOTEL·CENTRAL
BAR·HOTEL·CENTRAL

Cette chanson de marche originaire de Vendée, qui fait allusion aux guerres de Hollande, a été composée par les soldats de Louis XIV. Devenue un classique du répertoire de troupe, elle s'est diffusée en Suisse et jusqu'au Canada, car son texte au pouvoir évocateur se mémorise très facilement. Aristide Bruant l'a mise à son répertoire et l'on en trouve des enregistrements sur cylindre dès 1898.

Auprès de ma blonde
ou Dans les jardins de mon père

Anonyme, XVIIe siècle

Dans les jardins d'mon père
Les lilas sont fleuris. } *(bis)*
Tous les oiseaux du monde
Vienn'nt y faire leurs nids.

Auprès de ma blonde
Qu'il fait bon, fait bon, fait bon,
Auprès de ma blonde
Qu'il fait bon dormir !

Tous les oiseaux du monde
Vienn'nt y faire leurs nids } *(bis)*
La caill', la tourterelle
Et la joli' perdrix.

Auprès de ma blonde
Qu'il fait bon, fait bon, fait bon,
Auprès de ma blonde
Qu'il fait bon dormir !

La caill', la tourterelle
Et la joli' perdrix, } *(bis)*
Et ma joli' colombe
Qui chante jour et nuit.

Auprès de ma blonde
Qu'il fait bon, fait bon, fait bon,
Auprès de ma blonde
Qu'il fait bon dormir !

Et ma joli' colombe
Qui chante jour et nuit, } *(bis)*
Qui chante pour les filles
Qui n'ont pas de mari.

Auprès de ma blonde
Qu'il fait bon, fait bon, fait bon,
Auprès de ma blonde
Qu'il fait bon dormir !

Qui chante pour les filles
Qui n'ont pas de mari. } *(bis)*
Pour moi ne chante guère,
Car j'en ai un joli.

Auprès de ma blonde
Qu'il fait bon, fait bon, fait bon,
Auprès de ma blonde
Qu'il fait bon dormir !

Pour moi ne chante guère,
Car j'en ai un joli. } *(bis)*
– Dites-nous donc, la belle,
Où donc est votr' mari ?

Auprès de ma blonde
Qu'il fait bon, fait bon, fait bon,
Auprès de ma blonde
Qu'il fait bon dormir !

– Dites-nous donc, la belle, } *(bis)*
Où donc est votr' mari ?
– Il est dans la Hollande,
Les Hollandais l'ont pris.

Auprès de ma blonde
Qu'il fait bon, fait bon, fait bon,
Auprès de ma blonde
Qu'il fait bon dormir !

– Il est dans la Hollande, } *(bis)*
Les Hollandais l'ont pris.
– Que donneriez-vous, belle,
Pour avoir votre ami ?

Auprès de ma blonde
Qu'il fait bon, fait bon, fait bon,
Auprès de ma blonde
Qu'il fait bon dormir !

– Que donneriez-vous, belle, } *(bis)*
Pour avoir votre ami ?
– Je donnerais Versailles,
Paris et Saint-Denis.

Auprès de ma blonde
Qu'il fait bon, fait bon, fait bon,
Auprès de ma blonde
Qu'il fait bon dormir !

– Je donnerais Versailles, } *(bis)*
Paris et Saint-Denis,
Les tours de Notre-Dame
Et l'clocher d'mon pays.

Auprès de ma blonde
Qu'il fait bon, fait bon, fait bon,
Auprès de ma blonde
Qu'il fait bon dormir !

Les tours de Notre-Dame } *(bis)*
Et l'clocher d'mon pays,
Et ma joli' colombe,
Pour avoir mon ami.

Auprès de ma blonde
Qu'il fait bon, fait bon, fait bon,
Auprès de ma blonde
Qu'il fait bon dormir !

Dans cette chanson de soldat, il ne s'agit pas de la garde impériale, où ne figurait aucun régiment de hussards, mais de la garde royale des Bourbons qui fut licenciée en 1830. Cela permet de situer vers 1820 l'écriture de cette marche anonyme qui a été remise à l'honneur un siècle plus tard par Eugénie Buffet, Yvette Guilbert et Marie Dubas.

Les Housards de la garde

Anonyme, XIXe siècle

Toi qui connais les Housards de la garde,
Connais-tu pas l'trombon' du régiment ?
Quel air aimable quand il vous regarde !
Eh bien, ma chère, il était mon amant.

Au Luxembourg je fis sa connaissance.
Qu'il était bien dessous son fourniment !
Quel air vainqueur ! quelle noble prestance,
En embouchant son aimable instrument !

Toi qui connais les Housards de la garde,
Connais-tu pas l'trombon' du régiment ?
Quel air aimable quand il vous regarde !
Eh bien, ma chère, il était mon amant.

Le premier jour qu'il me vit en personne,
J'crus qu'il allait tomber en pâmoison,
Il soupirait plus fort que son trombone !
Moi, de pitié, j'en avais le frisson.

Toi qui connais les Housards de la garde,
Connais-tu pas l'trombon' du régiment ?
Quel air aimable quand il vous regarde !
Eh bien, ma chère, il était mon amant.

Tu peux m'en croire, ô ma chère Julie !
C'était vraiment un amour de garçon.
Pour l'obliger j'aurais donné ma vie,
J'aurais vendu jusqu'au dernier jupon.

Toi qui connais les Housards de la garde,
Connais-tu pas l'trombon' du régiment ?
Quel air aimable quand il vous regarde !
Eh bien, ma chère, il était mon amant.

Il est parti, j'attends de ses nouvelles,
De Lille en Flandre, où qu'il tient garnison.
Ah ! que du moins il me reste fidèle !
Ou j'suis dans l'cas d'me détruire au charbon.

Toi qui connais les Housards de la garde,
Connais-tu pas l'trombon' du régiment ?
Quel air aimable quand il vous regarde !
Eh bien, ma chère, il était mon amant.

Le Retour du marin
ou Brave marin

Anonyme

Brave marin revient de guerre, } *(bis)*
Tout doux...
Tout mal chaussé, tout mal vêtu :
« Brave marin, d'où reviens-tu ?
Tout doux...

– Madame, je reviens de guerre, } *(bis)*
Tout doux...
– Qu'on apporte ici du vin blanc,
Que le marin boive en passant ! »
Tout doux...

Brave marin se met à boire, } *(bis)*
Tout doux...
Se met à boire et à chanter,
Et la belle hôtesse à pleurer.
Tout doux...

« Ah ! qu'avez-vous, Dame l'hôtesse ? } *(bis)*
Tout doux...
Regrettez-vous votre vin blanc
Que le marin boit en passant ?
Tout doux...

– C'est pas mon vin que je regrette, } *(bis)*
Tout doux...
Mais c'est la mort de mon mari :
Monsieur, vous ressemblez à lui.
Tout doux...

Née à la fin du XVIIIe siècle, cette chanson de soldat, devenue chanson de marin au milieu du XIXe siècle, s'est répandue dans l'ouest de la France et au Québec. Ce thème tragique a connu une grande fortune dans la chanson traditionnelle : souvent absent pour plusieurs années, et sachant rarement écrire, le marin ne pouvait guère donner de nouvelles. Sa femme portait la petite croix de cire des disparus pendant quelques mois puis finissait souvent par se remarier. Lorsque par miracle le marin revenait chez lui après plusieurs années, l'allure misérable, il n'était pas rare qu'on ne le reconnaisse plus...

– Ah ! dites-moi, Dame l'hôtesse, } *(bis)*
Tout doux...
Vous aviez de lui trois enfants ;
En voilà quatre à présent...
Tout doux...

– J'ai tant reçu de ses nouvelles, } *(bis)*
Tout doux...
Qu'il était mort et enterré,
Que je me suis remariée... »
Tout doux...

Brave marin vida son verre, } *(bis)*
Tout doux...
Sans remercier, tout en pleurant,
S'en retourne à son bâtiment.
Tout doux...

Francis Lemarque reçut un jour une musique par son éditeur pour y mettre des paroles, mais il lui fallut plusieurs semaines pour trouver l'idée du refrain, qui devint un grand succès de l'année 1958. Cette chanson entraînante est une variante moderne des complaintes sur le retour du soldat.

Marjolaine

Paroles de Francis Lemarque
Musique de Rudi Revil

Un inconnu et sa guitare
Dans une rue pleine de brouillard
Chantait, chantait une chanson
Que répétaient deux autres compagnons

Marjolaine, toi si jolie
Marjolaine, le printemps fleurit
Marjolaine, j'étais soldat
Mais aujourd'hui
Je reviens près de toi

Tu m'avais dit : « Je t'attendrai »
Je t'avais dit : « Je reviendrai »
J'étais parti encore enfant
Suis revenu un homme maintenant

Marjolaine, toi si jolie
Marjolaine, je n'ai pas menti
Marjolaine, j'étais soldat
Mais aujourd'hui
Je reviens près de toi

J'étais parti pour dix années
Mais dix années ont tout changé
Rien n'est pareil et dans ta rue
À part le ciel, je n'ai rien reconnu

Marjolaine, toi si jolie
Marjolaine, le printemps s'enfuit
Marjolaine, je sais trop bien
Qu'amour perdu
Plus jamais ne revient

Un inconnu et sa guitare
Ont disparu dans le brouillard
Et avec lui ses compagnons
Sont repartis, emportant leur chanson

Marjolaine, toi si jolie
Marjolaine, le printemps fleurit
Marjolaine, j'étais soldat

Le souvenir

la claire fontaine

Anonyme, XVIIe siècle

Cette version canadienne d'un traditionnel français du XVIIe siècle (*En revenant de noces*) est passée en France au début du XXe siècle. Diffusée par les mouvements de jeunesse d'avant guerre, elle est entrée après la Libération dans le répertoire scolaire. Selon la façon de la chanter (ronde enfantine ou ballade poétique), le caractère érotique contenu dans ses paroles est plus ou moins apparent. Elle a vraisemblablement inspiré à Georges Brassens sa chanson *Dans l'eau de la claire fontaine*.

À la claire fontaine
M'en allant promener,
J'ai trouvé l'eau si claire
Que je m'y suis baignée.

Il y a longtemps que je t'aime
Jamais je ne t'oublierai

J'ai trouvé l'eau si claire
Que je m'y suis baignée.
À la feuille d'un chêne
Je me suis essuyée.

Il y a longtemps que je t'aime
Jamais je ne t'oublierai

À la feuille d'un chêne
Je me suis essuyée.
Sur la plus haute branche
Le rossignol chantait.

Il y a longtemps que je t'aime
Jamais je ne t'oublierai

Sur la plus haute branche
Le rossignol chantait.
Chante rossignol chante
Toi qui as le cœur gai.

Il y a longtemps que je t'aime
Jamais je ne t'oublierai

Chante rossignol chante
Toi qui as le cœur gai.
Tu as le cœur à rire
Moi je l'ai à pleurer.

Il y a longtemps que je t'aime
Jamais je ne t'oublierai

Tu as le cœur à rire
Moi je l'ai à pleurer.
C'est de mon ami Pierre
Qui ne veut plus m'aimer.

Il y a longtemps que je t'aime
Jamais je ne t'oublierai

C'est de mon ami Pierre
Qui ne veut plus m'aimer.
Pour un bouton de rose
Que trop tôt j'ai donné.

Il y a longtemps que je t'aime
Jamais je ne t'oublierai

Pour un bouton de rose
Que trop tôt j'ai donné.
Je voudrais que la rose
Fût encore au rosier.

Il y a longtemps que je t'aime
Jamais je ne t'oublierai

Je voudrais que la rose
Fût encore au rosier.
Et que mon ami Pierre
Fût encore à m'aimer.

Il y a longtemps que je t'aime
Jamais je ne t'oublierai

Elle était si jolie

Paroles et musique d'Alain Barrière

Elle était si jolie
Que je n'osais l'aimer
Elle était si jolie
Je ne peux l'oublier
Elle était trop jolie
Quand le vent l'emmenait
Elle fuyait ravie
Et le vent me disait...

Elle est bien trop jolie
Et toi je te connais
L'aimer toute une vie
Tu ne pourras jamais
Oui mais elle est partie
C'est bête mais c'est vrai
Elle était si jolie
Je ne l'oublierai jamais

Aujourd'hui c'est l'automne
Et je pleure souvent
Aujourd'hui c'est l'automne
Qu'il est loin le printemps
Dans le parc où frissonnent
Les feuilles au vent mauvais
Sa robe tourbillonne
Puis elle disparaît...

Elle était si jolie
Que je n'osais l'aimer
Elle était si jolie
Je ne peux l'oublier
Elle était trop jolie
Quand le vent l'emmenait
Elle était si jolie
Je ne l'oublierai jamais

Ce slow « emballant », soutenu par des chœurs, fit un malheur sur les radios et dépassa nos frontières pour triompher durant plusieurs décennies au Brésil. Cette chanson sur le thème de l'amour perdu, sélectionnée pour représenter la France au grand prix de l'Eurovision en 1963, est un des premiers grands succès d'Alain Barrière, auteur-compositeur-interprète romantique parmi les yé-yé.

Mon amant de Saint-Jean

Paroles de Léon Agel
Musique d'Émile Carrara

Évoquant un célèbre quartier de Marseille fréquenté à l'époque par les souteneurs, cette valse musette envoûtante fut un succès lors de sa création par Lucienne Delyle en 1942 (Jane Chacun en a donné au même moment un version plus crapuleuse sous le titre *Mon costaud de Saint-Jean*). Mais elle connaît une exceptionnelle fortune depuis son utilisation dans le film de François Truffaut *Le Dernier Métro* en 1980, et sa reprise récente par Patrick Bruel.

Je ne sais pourquoi j'allais danser
À Saint-Jean au musette,
Mais quand un gars m'a pris un baiser,
J'ai frissonné, j'étais chipée

Comment ne pas perdre la tête,
Serrée par des bras audacieux
Car l'on croit toujours
Aux doux mots d'amour
Quand ils sont dits avec les yeux
Moi qui l'aimais tant,
Je le trouvais le plus beau de Saint-Jean,
Je restais grisée
Sans volonté
Sous ses baisers.

Sans plus réfléchir, je lui donnais
Le meilleur de mon être
Beau parleur chaque fois qu'il mentait,
Je le savais, mais je l'aimais.

Comment ne pas perdre la tête,
Serrée par des bras audacieux
Car l'on croit toujours
Aux doux mots d'amour
Quand ils sont dits avec les yeux
Moi qui l'aimais tant,
Je le trouvais le plus beau de Saint-Jean,
Je restais grisée
Sans volonté
Sous ses baisers.

Mais hélas, à Saint-Jean comme ailleurs
Un serment n'est qu'un leurre
J'étais folle de croire au bonheur,
Et de vouloir garder son cœur.

Comment ne pas perdre la tête,
Serrée par des bras audacieux
Car l'on croit toujours
Aux doux mots d'amour
Quand ils sont dits avec les yeux
Moi qui l'aimais tant,
Mon bel amour, mon amant de Saint-Jean,
Il ne m'aime plus
C'est du passé
N'en parlons plus.

Cette chanson, fondée sur l'imagerie du légionnaire élevé au rang de héros par la littérature et le cinéma des années 1930, inaugura la collaboration entre le parolier Raymond Asso et la compositrice Marguerite Monnot. Elle fut créée par Marie Dubas en 1936, avec une autre chanson des mêmes auteurs, *Le Fanion de la Légion*. Sachant alterner le récitatif du couplet et le lyrisme du refrain, l'art de Marie Dubas inspira la toute jeune Édith Piaf qui chercha à rencontrer Raymond Asso et devint bientôt sa maîtresse. Cette chanson, qui lui convenait à merveille, fut intégrée dans son premier tour de chant à l'*A.B.C.* en 1937. Serge Gainsbourg l'a reprise cinquante ans plus tard.

Mon légionnaire

Paroles de Raymond Asso
Musique de Marguerite Monnot

Il avait de grands yeux très clairs
Où parfois passaient des éclairs
Comme au ciel passent des orages.
Il était plein de tatouages
Que j'ai jamais très bien compris.
Son cou portait : « Pas vu, pas pris. »
Sur son cœur on lisait : « Personne »
Sur son bras droit un mot : « Raisonne ».

J'sais pas son nom, je n'sais rien d'lui.
Il m'a aimée toute la nuit,
Mon légionnaire !
Et me laissant à mon destin,
Il est parti dans le matin
Plein de lumière !
Il était minc', il était beau,
Il sentait bon le sable chaud,
Mon légionnaire !
Y avait du soleil sur son front
Qui mettait dans ses cheveux blonds
De la lumière !

Bonheur perdu, bonheur enfui,
Toujours je pense à cette nuit
Et l'envie de sa peau me ronge.
Parfois je pleure et puis je songe
Que lorsqu'il était sur mon cœur,
J'aurais dû crier mon bonheur...
Mais je n'ai rien osé lui dire.
J'avais peur de le voir sourire !

J'sais pas son nom, je n'sais rien d'lui.
Il m'a aimée toute la nuit,
Mon légionnaire !
Et me laissant à mon destin,
Il est parti dans le matin
Plein de lumière !
Il était minc', il était beau,
Il sentait bon le sable chaud,
Mon légionnaire !
Y avait du soleil sur son front
Qui mettait dans ses cheveux blonds
De la lumière !

On l'a trouvé dans le désert.
Il avait ses beaux yeux ouverts.
Dans le ciel, passaient des nuages.
Il a montré ses tatouages
En souriant et il a dit,
Montrant son cou : « Pas vu, pas pris »
Montrant son cœur : « Ici, personne. »
Il ne savait pas... Je lui pardonne.

J'rêvais pourtant que le destin
Me ramèn'rait un beau matin
Mon légionnaire,
Qu'on s'en irait seuls tous les deux
Dans quelque pays merveilleux
Plein de lumière !
Il était minc', il était beau,
On l'a mis sous le sable chaud
Mon légionnaire !
Y avait du soleil sur son front
Qui mettait dans ses cheveux blonds
De la lumière !

’était bien

Paroles de Robert Nyel, musique de Gaby Verlor

C’était tout juste après la guerre,
Dans un petit bal qu’avait souffert.
Sur une piste de misère,
Y’en avait deux, à découvert.
Parmi les gravats ils dansaient
Dans ce petit bal qui s’appelait...
Qui s’appelait... qui s’appelait... qui s’appelait...

Non je ne me souviens plus du nom du bal perdu.
Ce dont je me souviens ce sont ces amoureux
Qui ne regardaient rien autour d’eux.
Y avait tant d’insouciance
Dans leurs gestes émus,
Alors quelle importance
Le nom du bal perdu ?
Non je ne me souviens plus du nom du bal perdu.
Ce dont je me souviens c’est qu’ils étaient heureux
Les yeux au fond des yeux.
Et c’était bien... Et c’était bien...

Ils buvaient dans le même verre,
Toujours sans se quitter des yeux.
Ils faisaient la même prière,
D’être toujours, toujours heureux.
Parmi les gravats ils souriaient
Dans ce petit bal qui s’appelait...
Qui s’appelait... qui s’appelait... qui s’appelait...

Non je ne me souviens plus du nom du bal perdu.
Ce dont je me souviens ce sont ces amoureux
Qui ne regardaient rien autour d’eux.
Y avait tant d’insouciance
Dans leurs gestes émus,
Alors quelle importance
Le nom du bal perdu ?
Non je ne me souviens plus du nom du bal perdu.
Ce dont je me souviens c’est qu’ils étaient heureux
Les yeux au fond des yeux.
Et c’était bien... Et c’était bien...

Et puis quand l’accordéoniste
S’est arrêté, ils sont partis.
Le soir tombait dessus la piste,
Sur les gravats et sur ma vie.
Il était redevenu tout triste
Ce petit bal qui s’appelait,
Qui s’appelait... qui s’appelait... qui s’appelait...

Non je ne me souviens plus du nom du bal perdu.
Ce dont je me souviens ce sont ces amoureux
Qui ne regardaient rien autour d'eux.
Y avait tant de lumière,
Avec eux dans la rue,
Alors la belle affaire
Le nom du bal perdu.
Non je ne me souviens plus du nom du bal perdu.
Ce dont je me souviens c'est qu'on était heureux
Les yeux au fond des yeux.
Et c'était bien... Et c'était bien.

L'auteur-compositeur-interprète Robert Nyel a débuté dans la chanson en 1956. Avec la compositrice-interprète Gaby Verlor, il a signé un bouquet de tendres refrains créés par Bourvil, comme *Ma p'tite chanson* (1959) et surtout *C'était bien* (1962) : cette belle valse sous-titrée *Le petit bal perdu* a aussi été enregistrée par Juliette Gréco.

Las ! si j'avais pouvoir d'oublier
ou La Chanson du roi de Navarre

Anonyme, XVᵉ siècle

Cette chanson anonyme du XVᵉ siècle est parfois attribuée à Thibaud de Champagne, qui l'aurait composée au XIIIᵉ siècle en l'honneur de la reine Blanche de Castille. Mais sa forme est trop récente pour appartenir au célèbre trouvère.

Las ! si j'avais pouvoir d'oublier
Sa beauté, sa beauté, son bien dire
Et son très doux, très doux regarder
Finirais mon martyre.

Mais las ! mon cœur je n'en puis ôter
Et grand affolage m'est d'espérer
Mais tel servage donne courage
À tout endurer.

Et puis comment, comment oublier
Sa beauté, sa beauté, son bien dire
Et son très doux, très doux regarder ?
Mieux aime mon martyre.

Amour

ma tendre musette

Paroles de La Harpe
Musique de Monsigny

Ô ma tendre musette.
Musette, mes amours.
Toi qui chantais Lisette,
Lisette et les beaux jours :
D'une vaine espérance
Tu m'avais trop flatté,
Chante son inconstance
Et ma fidélité

C'est l'amour, c'est sa flamme
Qui brillent dans ses yeux ;
Je croyais que son âme
Brûlait des mêmes feux.
Lisette à son aurore
Respirait le plaisir ;
Hélas ! Si jeune encore
Sait-on déjà trahir

Sa voix pour me séduire
Avait plus de douceur ;
Jusques à son sourire,
Tout en elle est trompeur.
Tout en elle intéresse,
Et je voudrais, hélas !
Qu'elle eût plus de tendresse
Ou qu'elle eût moins d'appas.

Ô ma tendre musette.
Console ma douleur.
Parle-moi de Lisette,
Ce nom fait mon bonheur.
Je la revois plus belle,
Plus belle tous les jours,
Je me plains toujours d'elle
Et je l'aime toujours.

Publié en 1773 dans *L'Almanach des muses*, cette bergerette se chante sur l'air de *Défiez-vous sans cesse*, attribué par la suite à Monsigny, compositeur de plusieurs opéras-comiques. Elle a été harmonisée au XIXe siècle par J. B. Wekerlin.

L'Écharpe

Paroles et musique de Maurice Fanon

Si je porte à mon cou
En souvenir de toi
Ce souvenir de soie
Qui se souvient de nous
Ce n'est pas qu'il fasse froid
Le fond de l'air est doux
C'est qu'encore une fois
J'ai voulu comme un fou
Me souvenir de toi
De tes doigts sur mon cou
Me souvenir de nous
Quand on se disait vous

Si je porte à mon cou
En souvenir de toi
Ce sourire de soie
Qui sourit comme nous
Sourions autrefois
Quand on se disait vous
En regardant le soir
Tomber sur nos genoux
C'est qu'encore une fois
J'ai voulu revoir
Comment tombe le soir
Quand on s'aime à genoux

Si je porte à mon cou
En souvenir de toi
Ce soupir de soie
Qui soupire après nous
C'n'est pas pour que tu voies
Comme je m'ennuie sans toi
C'est qu'il y a toujours
L'empreinte sur mon cou
L'empreinte de tes doigts
De tes doigts qui se nouent
L'empreinte de ce jour
Où les doigts se dénouent

Final
Si je porte à mon cou
En souvenir de toi
Cette écharpe de soie
Que tu portais chez nous
Ce n'est pas qu'il fasse froid
Le fond de l'air est doux
Ce n'est pas qu'il fasse froid
Le fond de l'air est doux.

La plus célèbre et l'une des plus belles chansons de l'auteur-compositeur-interprète Maurice Fanon, dont la femme Pia Colombo a enregistré une très belle version en 1963. Fondé sur une série de jeux de mots homophoniques (« soi », « soie ») et sur la mémoire affective invoquée en son temps par la madeleine de Proust, ce tableau du souvenir soutenu par la musique aux accents mélancoliques a beaucoup de succès au Japon, pays du romantisme, où il a été popularisé notamment par Cora Vaucaire.

es Feuilles mortes

Paroles de Jacques Prévert
Musique de Joseph Kosma

Oh ! je voudrais tant que tu te souviennes
Des jours heureux où nous étions amis
En ce temps-là la vie était plus belle,
Et le soleil plus brûlant qu'aujourd'hui
Les feuilles mortes se ramassent à la pelle
Tu vois, je n'ai pas oublié...
Les feuilles mortes se ramassent à la pelle,
Les souvenirs et les regrets aussi
Et le vent du nord les emporte
Dans la nuit froide de l'oubli.
Tu vois, je n'ai pas oublié
La chanson que tu me chantais.

C'est une chanson qui nous ressemble
Toi, tu m'aimais et je t'aimais
Et nous vivions tous deux ensemble
Toi qui m'aimais, moi qui t'aimais
Mais la vie sépare ceux qui s'aiment
Tout doucement, sans faire de bruit
Et la mer efface sur le sable
Les pas des amants désunis.

Les feuilles mortes se ramassent à la pelle,
Les souvenirs et les regrets aussi
Mais mon amour silencieux et fidèle
Sourit toujours et remercie la vie
Je t'aimais tant, tu étais si jolie,
Comment veux-tu que je t'oublie ?
En ce temps-là, la vie était plus belle
Et le soleil plus brûlant qu'aujourd'hui
Tu étais ma plus douce amie
Mais je n'ai que faire des regrets
Et la chanson que tu chantais
Toujours, toujours je l'entendrai !

C'est une chanson qui nous ressemble
Toi, tu m'aimais et je t'aimais
Et nous vivions tous deux ensemble
Toi qui m'aimais, moi qui t'aimais
Mais la vie sépare ceux qui s'aiment
Tout doucement, sans faire de bruit
Et la mer efface sur le sable
Les pas des amants désunis.

Initialement composée par Joseph Kosma pour un pas de deux du ballet *Le Rendez-vous* (créé par la troupe de Roland Petit au *Théâtre Sarah-Bernhardt* en 1945), cette musique est devenue chanson grâce à Jacques Prévert, fredonnée par Yves Montand dans le film *Les Portes de la nuit* l'année suivante. Cora Vaucaire fut la première à l'enregistrer en 1948, alors que personne n'y croyait, et la chanson resta cantonnée dans le registre « rive gauche » durant plusieurs années. Yves Montand mit quatre ans à l'imposer à son public : le succès ne démarra qu'au *Théâtre de l'Étoile* en 1953. Le thème devint un tube américain sous forme instrumentale en 1955, puis trouva de nombreux interprètes anglais sous le titre *Autumn Leaves*. Cette musique a fait le tour du monde, séduisant aussi bien les interprètes lyriques que les géants du jazz. Son originalité réside dans les quatre notes ascendantes du refrain, transposées plusieurs fois. Le principe de la mémoire affective est ici utilisé comme dans *L'Écharpe* de Maurice Fanon. Serge Gainsbourg lui a rendu un hommage en 1961 dans *La Chanson de Prévert*.

Que reste-t-il de nos amours

Paroles et musique de Charles Trenet

Habitué à composer des chansons au rythme enlevé qui portent en scène, Charles Trenet commença à élargir son répertoire aux chansons à tonalité sentimentale sous l'Occupation. Il y gagna par la radio un public moins jeune et plus provincial. Cette ballade écrite fin 1942 fut enregistrée par Roland Gerbeau (le créateur de *Douce France* quelques mois plus tôt), puis par son auteur, et reprise par Lucienne Boyer. Ses accents de paradis perdu, faisant affleurer le sentiment de la fuite du temps et de l'éloignement des jours heureux, correspondaient bien au désarroi de l'Occupation. Devenue par la suite un grand classique du jazz sous le titre *I Wish You Love*, cette chanson est après *La Mer* une des œuvres de Trenet les plus connues au monde. François Truffaut l'a utilisée en 1968 dans son film *Baisers volés*.

Ce soir le vent qui frappe à ma porte
Me parle des amours mortes
Devant le feu qui s'éteint
Ce soir c'est une chanson d'automne
Dans la maison qui frissonne
Et je pense aux jours lointains

Que reste-t-il de nos amours
Que reste-t-il de ces beaux jours
Une photo, vieille photo
De ma jeunesse
Que reste-t-il des billets doux
Des mois d' avril, des rendez-vous
Un souvenir qui me poursuit
Sans cesse
Bonheur fané, cheveux au vent
Baisers volés, rêves mouvants
Que reste-t-il de tout cela
Dites-le-moi
Un petit village, un vieux clocher
Un paysage si bien caché
Et dans un nuage le cher visage
De mon passé

Les mots, les mots tendres qu'on murmure
Les caresses les plus pures
Les serments au fond des bois
Les fleurs qu'on retrouve dans un livre
Dont le parfum vous enivre
Se sont envolés, pourquoi ?

Que reste-t-il de nos amours
Que reste-t-il de ces beaux jours
Une photo, vieille photo
De ma jeunesse
Que reste-t-il des billets doux
Des mois d' avril, des rendez-vous
Un souvenir qui me poursuit
Sans cesse
Bonheur fané, cheveux au vent
Baisers volés, rêves mouvants
Que reste-t-il de tout cela
Dites-le-moi
Un petit village, un vieux clocher
Un paysage si bien caché
Et dans un nuage le cher visage
De mon passé

Mes belles amourettes

Paroles attribuées à François Ier
Musique de Jehan Planson

Où êtes-vous allées, mes belles amourettes
Changerez-vous de lieu tous les jours ?

Puisque le ciel veut ainsi
Que mon mal je regrette
Je m'en irai dans les bois
Conter mes amoureux discours

Où êtes-vous allées, mes belles amourettes
Changerez-vous de lieu tous les jours ?

Où êtes-vous allées, mes belles amourettes
Changerez-vous de lieu tous les jours ?

À qui dirai-je mon tourment
Et mes peines secrètes ?
Je m'en irai dans ce bois
Chanter d'une mourante voix :

Où êtes-vous allées, mes belles amourettes
Changerez-vous de lieu mille fois ?

Attribué à François Ier, qui écrivit plusieurs chansons lors de sa captivité en Espagne, cet air de cour est caractéristique de la Renaissance. Cette forme musicale, officialisée en 1571 dans un recueil publié par Adrian Le Roy, écarta la chanson des exécutions polyphoniques pour mettre en avant la ligne mélodique, ce qui eut pour effet de populariser la chanson auprès d'un public moins musicien, de la rendre plus intime.

ù sont mes amants ?

Paroles de Maurice Vandair
Musique de Charlys

Dans la tristesse et la nuit qui revient
Je reste seule, isolée, sans soutien
Sans nulle entrave
Mais sans amour
Comme une épave
Mon cœur est lourd
Moi qui jadis connus le bonheur
Les soirs de fête et les adorateurs
Je suis esclave des souvenirs
Et cela me fait souffrir

Où sont tous mes amants ?
Tous ceux qui m'aimaient tant
Jadis quand j'étais belle
Adieu les infidèles
Ils sont je ne sais où
À d'autres rendez-vous
Moi mon cœur n'a pas vieilli pourtant
Où sont tous mes amants ?

Quand l'heure grise est imprégnée d'ennui
Je vois des ombres glisser dans la nuit
Dans le royaume
Des jours passés
Tous les fantômes
Viennent danser
La flamme jette un reflet sur les murs
Et je crois voir dans les recoins obscurs
Passer des gnomes
De noirs démons
Dont je ne sais plus le nom

Où sont tous mes amants ?
Tous ceux qui m'aimaient tant
Jadis quand j'étais belle
Adieu les infidèles
Ils sont je ne sais où
À d'autres rendez-vous
Moi mon cœur n'a pas vieilli pourtant
Où sont tous mes amants ?

Cette valse musette fut créée en 1935 par Fréhel de façon bouleversante, car les paroles de Maurice Vandair en sont presque autobiographiques : de son éblouissante beauté d'avant 1914, ravagée par la drogue et l'alcool, ne subsistaient que les accents de sincérité qu'elle mettait dans sa voix.

La nuit s'achève et quand vient le matin
La rosée pleure avec tous mes chagrins
Tous ceux que j'aime
Qui m'ont aimée
Dans le jour blême
Sont effacés
Je sens passer du brouillard sur mes yeux
Et ces pantins que je vois ce sont eux
Luttant quand même
Suprême effort
Je crois les étreindre encor

Où sont tous mes amants ?
Tous ceux qui m'aimaient tant
Jadis quand j'étais belle
Adieu les infidèles
Ils sont je ne sais où
À d'autres rendez-vous
Moi mon cœur n'a pas vieilli pourtant
Où sont tous mes amants ?

Le Temps des cerises

Paroles de Jean-Baptiste Clément
Musique d'Antoine Renard

Quand nous chanterons le temps des cerises,
Et gai rossignol, et merle moqueur
Seront tous en fête !
Les belles auront la folie en tête
Et les amoureux, du soleil au cœur !
Quand nous chanterons le temps des cerises,
Sifflera bien mieux le merle moqueur !

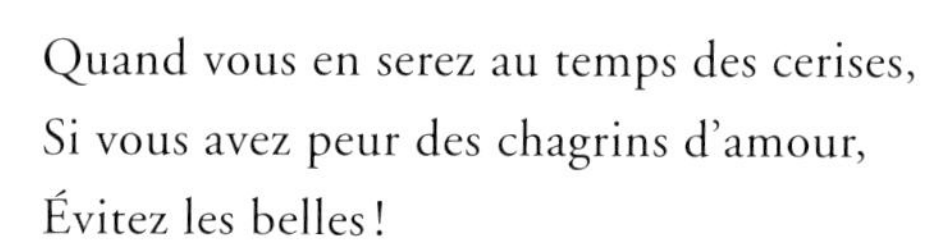

Mais il est bien court, le temps des cerises
Où l'on s'en va deux, cueillir en rêvant
Des pendants d'oreilles...
Cerises d'amour aux robes pareilles,
Tombant sous la feuille en gouttes de sang...
Mais il est bien court, le temps des cerises,
Pendants de corail qu'on cueille en rêvant !

Quand vous en serez au temps des cerises,
Si vous avez peur des chagrins d'amour,
Évitez les belles !
Moi qui ne crains pas les peines cruelles,
Je ne vivrai point sans souffrir un jour...
Quand vous en serez au temps des cerises,
Vous aurez aussi des peines d'amour !

J'aimerai toujours le temps des cerises :
C'est de ce temps-là que je garde au cœur
Une plaie ouverte !
Et dame Fortune en m'étant offerte
Ne pourra jamais fermer ma douleur...
J'aimerai toujours le temps des cerises
Et le souvenir que je garde au cœur !

Le texte de cette romance a été écrit à Montmartre en 1866, alors que Jean-Baptiste Clément était un auteur de chansons pour les cafés-concerts. L'année suivante, se trouvant démuni, Clément échangea contre une pelisse les droits de son texte à Antoine Renard, ex-chanteur d'opéra reconverti en vedette de café-concert, qui la mit en musique et la créa à *L'Eldorado* en 1868. Cette chanson a pris un sens nouveau sous la Commune : Jean-Baptiste Clément l'a dédiée en 1885 à l'ambulancière Louise qui, le 28 mai 1871, ravitailla à la barricade de la rue de la Fontaine-au-Roi les fédérés, parmi lesquels il se trouvait. Par la suite, la résonance politique s'est estompée au profit du sens premier : l'évocation d'un amour déçu. Devenue un classique de la chanson d'amour, elle bat le record du nombre d'enregistrements différents au cours du XXe siècle (de Tino Rossi à Nana Mouskouri), en conservant parfois son sens politique (chez Yves Montand, Mouloudji ou Juliette Gréco).

Plaisir d'amour

ou La Romance du chevrier

Paroles de Jean-Pierre Claris de Florian, musique de Martini

Plaisir d'amour ne dure qu'un moment,
Chagrin d'amour dure toute la vie.

J'ai tout quitté pour l'ingrate Sylvie,
Elle me quitte et prend un autre amant.
Plaisir d'amour ne dure qu'un moment,
Chagrin d'amour dure toute la vie.

« Tant que cette eau coulera doucement
Vers ce ruisseau qui borde la prairie,
Je t'aimerai », me répétait Sylvie.
L'eau coule encor, elle a changé pourtant.

Plaisir d'amour ne dure qu'un moment,
Chagrin d'amour dure toute la vie.

Le point de départ de cette immortelle romance est un poème intercalé dans la nouvelle de Jean-Pierre Claris de Florian *La Célestine* dont la lecture charma Martini, maître de chapelle du prince de Condé, puis du comte d'Artois et enfin du roi Louis XVI. Martini composa durant l'été 1784 une mélodie correspondant à la tristesse du narrateur, pour laquelle Berlioz écrivit un arrangement pour orchestre en 1859. Puis les chanteurs de café-concert l'ont régulièrement inscrite à leur répertoire à partir des années 1890. Cette romance figure en tête de liste des chansons les plus enregistrées par des interprètes différents au cours du XXe siècle, notamment par Yvonne Printemps en 1931. Adaptée en anglais, elle a été reprise par Elvis Presley et plus récemment par Stephan Eicher.

L'Amour et le Temps

Paroles de Joseph, vicomte de Ségur
Musique de Jean-Pierre Solié

À voyager passant sa vie,
Certain vieillard, nommé le Temps,
Près d'un fleuve arrive et s'écrie :
« Ayez pitié de mes vieux ans.
Hé quoi ! sur ces bords on m'oublie !
Moi qui compte tous les instants !
Mes bons amis, je vous supplie,
Venez, venez passer le Temps. »

De l'autre côté, sur la plage,
Plus d'une fille regardait,
Et voulait aider son passage
Sur un bateau qu'Amour guidait ;
Mais une d'elles, bien plus sage,
Leur répétait ces mots prudents :
« Ah ! souvent on a fait naufrage
en cherchant à passer le Temps. »

L'Amour gaiement pousse au rivage :
Il aborde tout près du Temps ;
Il lui propose le voyage,
L'embarque et s'abandonne aux vents.
Agitant ses rames légères,
Il dit et redit dans ses chants :
« Vous voyez bien, jeunes bergères,
Que l'Amour fait passer le Temps. »

Mais tout à coup l'Amour se lasse ;
Ce fut toujours là son défaut.
Le Temps prend la rame à sa place,
Et lui dit : « Quoi ! céder si tôt !
Pauvre enfant ! quelle est ta faiblesse !
Tu dors, et je chante à mon tour
Ce vieux refrain de la Sagesse :
Ah ! Le Temps fait passer l'Amour. »

Une beauté dans le bocage
Se riait sans ménagement
De la morale du vieux sage
Et du dépit du jeune enfant :
« Qui peut, dit le Temps en colère,
Braver l'Amour et mes vieux ans ?
C'est moi, dit l'Amitié sincère,
Qui ne crains jamais rien du Temps.

Cette chanson, parue sous la 1re République, a connu un succès durable par son sujet de caractère universel. Colonel et fils d'un maréchal de France (Louis-Philippe, comte de Ségur), le vicomte Joseph de Ségur démissionna de ses fonctions militaires au commencement de la Révolution. Homme du monde à l'esprit brillant, il se consacra à la littérature, au théâtre et aux chansons. La musique de cette chanson est due à Solié qui, avant de faire sa carrière comme compositeur, fut un grand chanteur à succès à la *Comédie italienne*.

es Prénoms effacés

Paroles et musique de Jean Tranchant

Dans le creux béant d'un grand chêne
Des fourmis rouges font la chaîne,
Rongent, creusent, font mille efforts
Contre le vieux géant qui dort.
Mais des jours d'été et de sève,
Il conserve de si beaux rêves
Tant de jolis prénoms d'amants
Qui disparaîtront lentement

Combien d'amoureux il a vus passer,
Combien de prénoms se sont enlacés !
Combien de serments, de fausses promesses
Se sont échangés sous son ombre épaisse !
Combien d'amoureux ivres de plaisir
Ont gravé gaiement tous leurs souvenirs !
Qui dira le sort des amants lassés
Dont les doux prénoms se sont effacés.

Sous le regard d'une pinsonne
Nous avons gravé cet automne
Nos prénoms, en nous promettant
De les retrouver au printemps.
Mais le chêne aux saisons fleuries
Retrouvant un peu de sa vie
Gardera-t-il dans les beaux jours
Le grand secret de notre amour ?

Combien d'amoureux il a vus passer,
Combien de prénoms se sont enlacés !
Combien de serments, de fausses
promesses
Se sont échangés sous son ombre épaisse !
Combien d'amoureux ivres de plaisir
Ont gravé gaiement tous leurs souvenirs !
Qui dira le sort des amants lassés
Dont les doux prénoms se sont effacés.

Quelque temps avant Charles Trenet, Jean Tranchant fut, avec Mireille, l'un des grands rénovateurs de la chanson française. D'abord auteur à partir de 1932, il a été servi par de prestigieux interprètes (Lucienne Boyer, Lys Gauty, Marianne Oswald, Marlene Dietrich…). Comme Trenet, il a commencé à chanter en duo, puis a démarré sa carrière solo en 1934 avec *Ici l'on pêche*. Deux ans plus tard, il écrivit *Les Prénoms effacés*, une chanson élégante et très poétique, dont Lucienne Boyer a fait un bel enregistrement .

vec le temps

Paroles et musique de Léo Ferré

Avec le temps...
Avec le temps, va, tout s'en va
On oublie le visage et l'on oublie la voix
Le cœur, quand ça bat plus, c'est pas la peine d'aller
Chercher plus loin, faut laisser faire et c'est très bien

Avec le temps...
Avec le temps, va, tout s'en va
L'autre qu'on adorait, qu'on cherchait sous la pluie
L'autre qu'on devinait au détour d'un regard
Entre les mots, entre les lignes et sous le fard
D'un serment maquillé qui s'en va faire sa nuit
Avec le temps tout s'évanouit

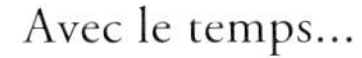

Avec le temps...
Avec le temps, va, tout s'en va
Mêm' les plus chouett's souv'nirs ça t'a un' de ces gueules
À la gal'rie j'farfouille dans les rayons d'la mort
Le samedi soir quand la tendresse s'en va tout' seule

Léo Ferré a longtemps été le chantre de l'amour rédempteur. Or, paradoxalement, la chanson restée la plus célèbre de son œuvre est un concentré de nihilisme absolu, une sorte de descente aux enfers sur une musique en forme de litanie. Écrite en 1971, elle part d'un cas particulier (Léo Ferré a quitté Madeleine en 1968, puis a divorcé) et s'échappe vers le général, voire l'universel. C'est à la fois une tranche de vie et un concentré de sociologie instinctive, une chanson qui s'inscrit dans la génération du début des années 1970, celle de la libération des mœurs et de l'explosion du divorce.

Avec le temps...
Avec le temps, va, tout s'en va
L'autre à qui l'on croyait pour un rhume, pour un rien
L'autre à qui l'on donnait du vent et des bijoux
Pour qui l'on eût vendu son âme pour quelques sous
Devant quoi l'on s'traînait comme traînent les chiens
Avec le temps, va, tout va bien

Avec le temps...
Avec le temps, va, tout s'en va
On oublie les passions et l'on oublie les voix
Qui vous disaient tout bas les mots des pauvres gens
Ne rentre pas trop tard, surtout ne prends pas froid

Avec le temps...
Avec le temps, va, tout s'en va
Et l'on se sent blanchi comme un cheval fourbu
Et l'on se sent glacé dans un lit de hasard
Et l'on se sent tout seul peut-être mais peinard
Et l'on se sent floué par les années perdues – alors vraiment
Avec le temps on n'aime plus

table des matières

index par titre

sources et copyrights

Nous tenons à remercier ici les éditeurs qui nous ont permis de réaliser ce volume :

© Art Music France
52 bis, avenue d'Iéna, 75016 Paris
La Maladie d'amour

© Éditions Bagatelle / Éditions Sidonie
24, place des Vosges, 75003 Paris,
C'était bien

© Éditions Paul Beuscher
29, boulevard Beaumarchais, 75180 Paris Cedex 04
Mais qu'est-ce que j'ai
C'est si bon
La Vie en rose
Berceuse tendre
C'est lui que mon cœur a choisi
Un ange comme ça
La Complainte des infidèles
Si tu reviens
Dis, quand reviendras-tu ?
Les Prénoms effacés

© BMG Music Publishing France
4-6, place de la Bourse, 75080 Paris Cedex 02
Et maintenant

© Raoul Breton
3, rue Rossini, 75009 Paris
J'ai ta main
Hymne à l'amour

© Consortium musical Éditions Combre
24, boulevard Poissonnière,75009 Paris
Fascination

© Éditions Crécelles
24, place des Vosges, 75003 Paris
Ma préférence

© Éditions Musicales Djanik
3, rue Rossini, 75009 Paris
For me formidable
Retiens la nuit
Que c'est triste Venise
L'Écharpe

© EMI
20, rue Molitor, 75016 Paris
J'attendrai

© Enoch & Cie
193, boulevard Pereire, 75017 Paris
Les enfants qui s'aiment
Les Feuilles mortes
L'Étoile d'amour

© Éditions Musicales Fortin
4, cité Chaptal, 75009 Paris
Oublions le passé

© Louis Gasté
5, rue du Bois-de-Boulogne, 75016 Paris
Ah ! dis donc

© Melody Nelson Publishing
20, avenue Rapp, 75007 Paris
Je suis venu te dire que je m'en vais

© Éditions Meridian
5, rue Lincoln, 75008 Paris
Comme un p'tit coquelicot
Pars !
Avec le temps

© Productions Gérard Meys
10, rue Saint-Florentin, 75001 Paris
Ma môme

© Éditions Pouchenel
11, place Vieille-Halle-aux-Blés, B 1000 Bruxelles
La Chanson des vieux amants

© Éditions Salabert / BMG
4-6, place de la Bourse, 75080 Paris Cedex 02
Je n'peux pas vivre sans amour
Le Plus Joli Rêve
Je sais que vous êtes jolie
Mon cœur est un violon
Mon homme
Reviens
Que reste-t-il de nos amours ?

© Société d'éditions musicales internationales / Semi
5, rue Lincoln, 75008 Paris
Parlez-moi d'amour
Apprenez-moi des mots d'amour
Mon manège à moi
Un amour comme le nôtre
Il ne faut pas briser un rêve
Je suis seule ce soir
Mon amant de Saint-Jean
Mon légionnaire

© Universal Music France
20, rue des Fossés-Saint-Jacques, 75235 Paris Cedex 05
La Non-demande en mariage
Ils s'aiment
Marjolaine

© Warner Chappell Music France
29, avenue MacMahon, 75017 Paris
Pour un flirt
La Javanaise
Insensiblement
Je l'aime à mourir
Déshabillez-moi
Les Amoureux des bancs publics
Ne me quitte pas
Je tire ma révérence
Je voulais te dire que je t'attends
Elle était si jolie
Où sont tous mes amants ?

remerciements

Nos remerciements s'adressent particulièrement
à Andrée Maïofiss, qui s'est chargée
de la recherche iconographique
avec patience et efficacité.

Merci aussi à Marcy SA, Côté plume...,
dont le concours nous a permis de réaliser
les illustrations de cet ouvrage. (http://www.marcy-sa.com)

Cet ouvrage a été réalisé par Copyright
Conception graphique : Alexandre Nicolas
Mise en pages : Gildaz Mazurié de Keroualin
Coordination éditoriale : Gracieuse Licari